U0081076

無意良母 貳

我很會養別人家老公

文——賴曉妍
圖——賴咸穎、賴俞蜜

總裁級品格養成，
未來媳婦請笑納

教養，可能有點難，
但愛，超簡單。

推薦序

天然的尚好！你也能發展出自己的教養法

葉丙成（臺大電機系教授）

如果你像我一樣關注曉妍的臉書多年，你一定會對他們家的小男孩──小咕──印象深刻。他總是很有創意，總是對事物充滿好奇，做得一手好菜。他很會設計，並動手做木工；用木頭、螺絲做出來的各種動物木工藝品，讓人眼睛一亮。而他還只是一個小學生！

當我們在看這男孩的故事時，如果自己也是為人父母，在驚豔不已的同時，也難免會好奇、佩服，「到底曉妍是什麼樣的教養方式，才能培養出這樣的孩子呢？」

我之前跟曉妍合作出了《無意良母》這本書，書中便是曉妍記述他們家的點滴日常，以及她跟三個孩子之間的許多趣事。在那本書中，我是從教育工作者的角度，從這些故事中發掘出重要的親子教養思維與論述。這本書獲得許多讀者喜愛。然而，那畢竟是旁觀者的觀察。雖然有其客觀觀察的價值，但若是能有孩子家長（曉妍）以第一人稱視角，來論述自己對教養的思維，其實更為珍貴。

因此在兩年後的今天，曉妍的這本新書《我很會養別人家老公》，我覺得是非常值得推薦給大家看的好書！在書裡，曉妍一方面如《無意良母》般用她幽默的筆觸，述說著兒子從小以來的點點滴滴。另一方面，她把在這些事件裡，為何跟孩子那樣互動的背後思考，做了非常深入的剖析跟論述。當你看了之後，你會時不時驚嘆：「原來人家媽媽是這樣想的啊！」

特別是曉妍在書中談到她的「自然派」教養法，還有她是如何跟男孩溝通、如何建立孩子的自信、如何順著孩子的天性跟天分去讓他發展……這些對於現代社會中的忙碌爸媽們，非常具有啟發性。許多爸媽也都想發展出孩子的興趣跟長才，但很多時候又沒有太多的耐性，往往都追求速成，卻都不成。透過曉妍這本書，爸媽們可以看到如何「自然而然」地讓孩子好好發展，不揠苗助長，但能讓孩子長出自己的特色跟自信的風采。

這本書還有另外一個特色，就是身為兩個女兒、一個兒子的母親，曉妍在書中把教養男孩後，發現跟教養女孩不同的挑戰，還有她是怎麼調整思維、度過這些挑戰的過程，毫不藏私地全部跟讀者分享。如果你家中也有男孩的教養問題，且讓你傷腦筋的話，書中曉妍所談的許多做法，會對你很有幫助。

身處在各門各派教養學說的書籍、影片充斥的年代，做為爸媽很難不受這些各派學說影響。於是我們常會看到被各家說法弄得無所適從、內心充滿焦慮的爸媽。大家都很愛自己的孩子，卻不知道到底要怎麼做，才是真的對自己孩子好。如果你也是這樣因孩子的教養方式而感到焦慮的父母，我誠摯地向你推薦曉妍的這本好書。讓孩子的教養回到生活中的自然而然，讓孩子長出他自己的獨特跟精采，讓我們不再焦慮！

目錄

推薦序——天然的尚好！你也能發展出自己的教養法 3
（葉丙成　臺大電機系教授）

前言——教養，值得一搏 10

1
順勢而為的放生自然派教養 15
創造出自己的獨門招式 16
教養界中的無神論者（？） 20

男生女生，原來差很大 26
養男孩也太好玩 34

2
男孩太活（頑）潑（皮）？他在嘗試中長大 39
把活在當下的禪學大師，變成專注力高手 40
各種「好用」，造就總裁自信 45
看得很小，也很大 51
話要說清楚 56

3
多抱抱會變好人 63
他有多愛你 64
愛撒嬌，已認證 69

成為溫暖的人 74
愛到星球爆炸 80

4
直男推薦外掛特質：幽默&創意 87
幽默感無敵 88
閱讀和審美，而後有創意 93
腦，是個好東西 101

5
不乖的乖孩子 109
不是你的優越感，是他的存在感 110
決定權，讓他更自愛 117
萬用頂嘴句型 125

合夥式親子關係 132

6

可恥但有用，鼓勵生出耐挫力 141

看到缺點怎麼辦？ 142
使出驅動大法——相信、鼓勵、對話 149
美好的事物，人生的意義 155
為兒子特製的防災包 160
加油與煞車，再加一點同理 168

7

暖男養成，未來媳婦請笑納！ 177

好老公訓練營 178
單飛不解散 186

前言

教養，值得一搏

其實，談「教養」這件事，有一個巨大的潛在風險，那就是萬一將來孩子沒長好，那可是白紙黑字公諸於世地糗大了。

但話又說回來，要是有那麼一點甘冒風險的勇氣，有些值得跟大家分享的方法，還是早說早享受吧！

家有三個孩子——大女兒、二女兒和小兒子，為什麼直到有了兒子，才去談經驗呢？

女兒們雖然不至於是教養過程中的烈士，少女們都好好地，正逐漸長成她們該有的樣子；但確實，養育第一個和第二個孩子，不會有第三個孩子來得從容熟練、游刃有餘、見多不怪……

長女是個擁有穩定自我的孩子，教會了我理性溝通；次女是個敏感多變的孩子，教會了我等待接納；然而意外來到的小男孩對我來說，一開始，就呈現出明顯的差異，像發現新大陸似的無比有趣。

有了兒子以後，我給自己設置了一個基本的方向。告訴自己，就算「養兒子」是一個全新未知的旅程，但是往「養出一個我自己也欣賞的男生」靠近，這樣應該算做對一半了吧？

於是基於上述，在歡樂無敵、驚喜（或驚嚇）無限的養兒時光裡，我有意識地，一天一天，去達成這些具體的想像，像是：情緒穩定、幽默樂觀、會做家事、體貼有愛心、靈活有創意……然後驚喜地發現，這些在成年人身上，可能具備兩三項就已經實屬難得的特質，似乎「從零開始」沒這麼難。

我家兒子，是一個被自然養大的孩子。這裡所說的自然，非大自然，更像是「自然而然」。

圖 /Sammy

他之所以沒有被一般坊間流行的教養套路洗禮，其實是現實環境使然。當時家庭正值極端忙碌的時期，加上前面還有兩個半小不大的女兒，實在無暇追求正確無誤地捏大這個突然降臨的孩子。簡單來說，親子間把握的原則是：好好相處，當個正常的家人即可。

後來，這個被放生：哦不，是順勢而為長大的兒子，無論是天性或特質都出於自然，讓我意外地享受到教養竟然可以有如打太極拳般的流暢感（純粹是一個形容，我沒有打過太極拳 XD）。

當老母我也想成就自己的時候，就去待在附帶小窗子的野生動物觀察專用帳篷裡。做自己的事，追劇喝咖啡，偶爾探頭觀察可愛小動物的狀態。在互相陪伴成長的過程中，感受到前所未有的愉悅，然後分享給大家。

總裁之所以是總裁

接下來的文章裡，你能看見兒子可能又被稱為「總裁」，這是他的一個綽號。

「總裁」是個（把自己弄得）很忙的人，隨時都在想新點子、隨時生出新把戲。約莫六歲時，他開始「玩木頭」。切鋸、打磨、鑽洞、組裝……產出的木工作品，一次比一次專業。慢慢地，開始有人向他下訂單。從用零件和木塊組合成的機器人或各種動物，到客製化的筆架、手機架、杯墊……總裁的事業愈做愈大，生意興隆，落落長的訂單排到隔年。不但組建了簡單的公司組織（二姐是他的員工），還有公司名叫UUQ，是unbelievable、unique和quality的縮寫，超專業哈哈！

老母看著坊間五花八門的手作體驗課程，這個自學練功的小木工師傅，不花一分錢，自己玩得風風火火、刀裡來鋸裡去的，是說割到鋸到得多了，連包紮急救的功夫也都很熟練了呢！

1

順勢而為的放生自然派教養

「親子關係，最大的成分是愛。
愛有甜有痛，但沒有規則。」

創造出自己的獨門招式

「教養江湖」裡，流行著各種派別，有著各式各樣令人目眩神迷的獨門招式。為什麼要說「獨門」呢？除了「每個人、每個家庭的特質和背景環境不同，相同的招式無法一體適用」這個老生常談的理由之外，我也意識到「時空」的問題。

教養有標準嗎

舉個例子，不知道有多少人記得，沒幾年前，很流行一種讓孩子冷靜的方法——

老師或家長把做錯事或是情緒失控的孩子，隔離在一個小區域或小角落裡。目的是讓孩子自我反省，發現與世隔絕的難受，進而改進。

在當時的時空環境裡，幾乎沒聽過有人覺得有什麼不對吧。做法堪稱理性、溫和又堅定，儼然教科書等級的標準處理流程。其實當時，可以經常看到許多家長、老師、家長兼老師，都曾毫不懷疑地落實過這個方法。

然而幾年後，這個做法被翻盤了，出現另一派聽起來更有道理的說法。大意是——

隔離做錯事的孩子，無法得到反省的目的，只會讓孩子覺得被拋棄、被驅逐……

漸漸地，前一套招式便被教養潮流淹沒，不再被提起。

再來一個時空小例子。看過曾經紅極一時的美劇《后翼棄兵》嗎？女主角小時候，住在教養院。教養院會固定發放鎮定劑給孩童服用，以便管理。餵孩子吃鎮定劑這件事，在現代人看來非常不可思議，根本是虐童行為，但在那個時空裡可是很正常的呢。

觀念會過時，而教養，也是有時空進程的。當下沒有人會懷疑的做法，隨著時間推移、時空轉變，也許就變成了錯誤與傷害。

所以，一介凡母如我，自認無法參透市面上教養招數的品管與有效期限，以至於很難輕易服用。所以寧可花更多的時間與精力，誠實地審視自身、體察孩子，發展出自己的方法。

把自己的孩子，當成喜歡的人

有時候談到相處之道，要化為言語，還得認真想想怎麼說，才不至於落入說教。

應對，其實是很單純自然的事，它的最基礎是喜歡對方。如同男生喜歡一個女生，當他們第一次約會時，聰明的男生可能會留心她走路的速度，不太會大搖大擺自顧自地走，把喜歡的女孩拋在後面（咦，好像不小心喚起某段不堪的回憶……）否則，很可能就沒有下一次了。這樣待人接物的原則，就算對應在自家小孩上也是一致的吧。

如果能真正地「把自己的孩子，當成喜歡的人」，有著想要好好相處的願望，自然會仔細去觀察、理解孩子。知道怎麼表達，孩子能夠接受，一點一點，不斷地靠近、說話、交心、相處，找到最和諧的方式。

「只要三招，讓每個女孩都愛上你」只是行銷的話術。我相信，優質的關係，絕對不是滿不在乎和便宜行事能夠擁有的。

教養界中的無神論者（？）

要是有人問我：「妳是教養界中的無神論者嗎？」
我會說：「其實也不盡然啦！」

書，多是勸人為（冷）善（靜）的吧

如果家長已經身處養育的五里迷霧中，焦慮、迷惘、失去方向……那麼請儘速把你網路書店購物車裡的教養書結帳，讀起來。畢竟不是當爸媽的都懂得怎麼當爸媽，適當在危急時刻，輸入一些理智的訊號，對父母、對孩子來說，可能是某種及時雨。

但我得說，唯一讓我相信的，不是某個專家的說法，也不是某本書的方法，而是身教對於孩子的影響。

然而這個所謂影響人至深的身教，卻也不是「爸媽做得好，小孩自然好」那樣特效。周遭就有朋友，出身極端忽略孩子的家庭，甚至暴力家庭，但為人正派溫和，靠自己栽培自己，說是出淤泥而不染也不為過。所以，人世間多的是沒有標準答案的習題，但經常會回歸到一個思路，像是窺見本質、反觀內心、感恩 seafood（欸不是）。

教養有規則嗎

其實，方法沒有絕對的好或壞，只有適不適合你家那個獨一無二的孩子。拿既定的模式一直去套用，然後因為總是套不準，往往也不合用，於是愈套愈焦慮。再盛行的方法、再有名的專家學者，都不會為你的選擇負責，而孩子的成長只有一次。你遵循了某個方式，那個仰賴他人的東西就很容易被推翻掉，但如果是內心的價值就很難動搖。

話又說回來，沒有鑽研各家派別的精髓，只專心鑽研自家孩子的樣態，也算是某種派別（吧？），但我想，也許這才是江湖中最讓人聞風喪膽的一派（挺）！因為，在了解孩子的過程中，你似乎給出了一部分的靈魂，與孩子同步，為的是全然接納他、了解他。

所謂教養法，大多無非是想「治好」孩子或親子關係，有時更像是一種行為控制。（實情是，在我和孩子的關係裡，我經常才是被「治好」的那個。）只是，用那些把人際關係（如果有把孩子當人看的話）淺碟化、標準化、規範定例的步驟流程，來診斷你哪裡做得不夠好、說得不夠正確，是否有點不食人間煙火了呢？

當然可以相信，父母如果「得法」，在權力不對等的基礎之下，控制孩子並不難。但是，在正常的人與人互動中，究竟要如何受迫屈從，或是如何去勉強另一個思考獨立的個體？不把持父母的威權，不習得坊間最厲害教養法，難道就沒辦法跟孩子溝通了嗎？

不如先這樣問：「孩子喜歡你嗎？」並非去討好，讓孩子喜歡自己。而是，喜歡跟父母相處、討論事情、一起找有趣的事物、一起看世界、喜歡這個人的存在。大家都知道，沒有人會喜歡一個想方設法去處理自己的人，無論他的方法究竟有沒有效。如此「不全盤接收」或說「耳根子硬」之下，似乎在幾次教養流行的潮起潮落中，讓我免去許多後悔。

親子關係，最大的成分是愛。愛有甜有痛，但沒有規則，尤其是他人給的規則。我不會同意讓那些規則、標準和分類，進入我的關係裡。但就像服藥，你如果需要、也覺得有效，都是自己可以決定或判斷的。

什麼是孩子喜歡的

期待孩子獨立思考的同時，「你今天，獨立思考了嗎？」我也這樣自問著。

兒子放學後，沒有花時間去安親班。學校離家很近，放學後十分鐘之內，他就可以走到家。接著可能先吃東西配他最愛的實驗影片、去附近公園玩、在家敲敲打打玩木工或是準備心血來潮的特製晚餐。

我也認識幾個樂於上各種課後補習班的孩子，這沒問題。然而我的兒子雖沒有體驗過這樣的生活，但只要仔細去觀察他的課後行為，其實有許多（他自己才懂的）計劃。他需要在課後轉換一下學習的方向和模式，剛結束一天的學校生活，放學後再繼續學校的課業內容，他顯然不會樂意。

類似這種母親的判斷，比如：我的孩子喜歡攝取各種知識、我的孩子喜歡更多體能活動，甚至是我的孩子需要更多的放空時間……一旦老母我察覺了，就會順應這些特性，給予合適的待遇。接著只要冷靜觀察孩子後續的狀態即可，而不是四處參考別人的做法，讓自己搖擺不安。隔壁大寶自從去了小菁英數學班進步好多、對街的小明自從一星期有六天到小天才美語班就都考一百、陳太太家的小美小提琴拉得多好……這些都跟我家的孩子無關。

可以看得仔細，但不要太用力，注意切勿大驚小怪。

不要太過要求完美吧，萬事萬物都有缺口，我們可以允許缺口。看過去，或是看未來，檢視過去的自己與關係，再用未來的角度看現在。

其實，孩子就是一個人，具體而微的小人。只是長得可愛一點、嘴邊肉誘人一點、奶音讓人有一點融化而已。他們小歸小，只要用心對待、真誠相處，總不會錯吧。深度去認識彼此，一旦認識，當然會有喜歡的和不喜歡的，但久而久之，那個建立在價值上的關係就會很牢固。

圖 /Sammy

男生女生，原來差很大

首先，我們得先承認彼此的不同。個體與個體之間的原本差異，乃至於生理女老母與生理男兒子先天上的差異。

我們和孩子，雖然有著極為相似的基因（啊不就廢話），還是建議先放棄尋找相似的、看得順眼的部分，一切從零開始認識。「哈囉！初次見面！久仰幸會喔！」這樣。重新認識，也等於從頭開始用欣賞的角度去看待另一個人。

下表，是我家三名母胎自然人各自的特質，全都明顯地不一樣吧？只能說，生到三個孩子，就能體現出物種的多元性。（是說複製出一模一樣的人，該有多無聊啊）

次女

兒子

長女	次女	兒子
宅女一枚，要她走出家門非常困難。	里長伯性格，熱心服務，看到小孩或動物就眼冒愛心。	有好玩的就行，最怕無聊。
勤儉持家，不重物質，衣服都撿老母的。	走在時代尖端的時尚少女，有眼光、有態度。	衣服都拿最上面一件。
畫風明快簡潔，完整規劃好才會下筆。	畫風不斷進化，主題和思緒主導風格。	想到什麼畫什麼。

圖 /Sammy

回到男孩的部分，由於性別的不同，那些看不懂的視而不見、看不懂的無所謂、看不懂的不夠細心、看不懂的不會順手洗杯子、看不懂的髒衣永遠丟不準……都因為抱著重新認識一個小小迷人的男生，而變成一門有趣的生物觀察課，不帶成見的。

其實，也不是打從一開始就能接受的。當得知，有了第三個孩子時，我落淚了。再得知，是男孩時，我又落淚了。

一樣是意外來臨的次女兩歲時，老母覺得自由慢慢地回到自己的掌心，正準備華麗回歸時……又看到兩條線！

驚嚇與懊惱之餘，因為偏愛女孩，加上看過太多暴衝的、把媽媽折磨得身心疲憊的、對話分貝量永遠超標的男孩。於是當知道肚裡的是男孩時，我在婦產科診間，紅了眼眶，哽咽地問醫師：「確定是男生嗎？」

「百分之九十九點九是男生！」醫生指著超音波圖，斬釘截鐵地說。

這就是我家養兒故事的開端、沒有一點期待的起點。

兒子幾乎當女兒養，直到……

幾年前，一個比較「正確」的說法是，腦袋不分性別，不應該設定男孩就應該愛車車、玩恐龍，女孩就應該抱娃娃、玩家家酒。孩子先天本無異，這些選擇，是源自大人的期待，是加諸在孩子身上的框架。當時，微大女人主義，也擁有不少不穿裙子的女性友人和細膩美麗男閨蜜的我，認同了這個說法。甚至覺得太好了！這下子，兩個女兒的各種物品都可以傳承下去了，頓時感覺良好，一家之母本人真是勤儉持家啊！

於是，兒子從誕生開始，就幾乎被當女兒養。除了男寶寶尿片，身邊環繞的是全套女寶寶床具與用品，從頭到腳接收二姐的衣物，接手兩個女兒的玩具。而初期的互動和照護上，男寶寶和女寶寶也的確感受不出什麼大差異。加上兒子的長相本來就有點像女孩子，即使是短短的男生頭，走在路上也幾乎很少被認出是男孩。

一切都很順利（誤），直到一天，約莫兒子兩、三歲的時候吧，我帶著孩子們去親友家玩，親友家有個五、六歲的男孩。男孩擁有兩輛車車，一台用扭動的方式前進，另一台用腳滑動。

那一整個晚上，我那個從沒玩過車車的兒子，像是找到他的天命，終於和他前世征戰沙場的良駒相遇，小小的身影在屋子裡飆速飛馳，嚕車嚕到停不下來，發了狂。

他的肢體語言在說：「這世界上居然有這麼讚的玩具！」「這才是我要的啊！」「給我速度，其餘免談！」「爽啦～～～」……見識到他對車車那股強烈的相見恨晚，我終於明白，那些兒子陪姐姐們演的冰雪奇緣、穿著艾莎公主裝轉圈圈、無數次扮家家酒、無數次的綁頭髮遊戲，是他沒得選！不是男孩女孩腦袋的構造有什麼差異，而是在選擇上，自然產生的差異。

於是，毫無懸念地，過兩天恰好是國際書展，工作之餘，我和孩子的爸第一次活動結束後沒有逛書攤，而是去教具器材類的攤子，扛了兩台車車回家。

我想，這就是對孩子本質上的接納吧，車車之於老母，不過是有輪子會動的東西罷了。同樣地，第一個女兒是如此、第二個女兒也是如此，然後兒子對車車超乎想像的熱愛，終於讓我意識到可能是大多數男孩與女孩先天上的不同。

無論是天生就愛飆車，還是愛玩娃娃；或是溝通的方式、取得認同的方式、成功被安撫的方式……都很不一樣。女兒，即使老母我戴著口罩，她都能

圖 /Sammy

察覺媽媽眼底的笑意或怒氣；兒子，就算搖旗吶喊叫他看過來，他的注意力依然很難放在我身上。

當然，也會有個體的差異，人本來都是獨一無二的，我不會說男孩就是粗枝大葉，兒子某部分來說也是個非常纖細敏感的孩子，但無損這個男女生真的不一樣的判斷。

兒子也曾經在一次旅行途中，因為少帶一件內褲，我拿了姐姐的借他，他死活不肯穿，說是女生的。最後折衷妥協的方法是，把前面的小蝴蝶結剪掉，他才勉強穿上。所以，反過來說，若是兒子有更多女性特質，也不應該違逆他的天性。看過電影《丹麥女孩》的朋友肯定對一幕記憶深刻，當男主角觸摸到蕾絲的那一刻，他渾身顫動，其實就跟兒子第一次玩到令他瘋狂的車車是一樣的。這是一個長相偏秀氣，時常被誤認成女生，行為舉止也不算過於陽剛的小男孩自然呈現的偏好。

或許，我那個幾乎把他當女兒養的日子，其實並沒有尊重他原本的特質。

雖然我們賦予孩子生命，但是一定要時刻提醒自己，必須尊重他們是另一個個體。尊重，尊重，尊重，尊重，尊重，超級無敵重要，所以說五次。

自己的vs別人的兒子

最後，要出賣孩子們的生父（深呼吸再繼續講），人生中，跟家人以外男性生活的經驗，其實只有我先生，也就是孩子的生父一人。真的住在一起，我才發現其中的不適……欸不是，是不同。

我非常注重細節，眼睛的餘光異常發達，一趟掃視，就能立刻找出問題。當繁瑣事同時湧入時，可以快速歸納出輕重緩急、先後順序，我想許多媽媽都有這種超能力，因為家庭裡日常的待辦大小事就不只一百件吧！

而生父則彷彿臉上隨時配有馬遮眼革，永遠看不到地上可以順手拾起的垃圾，桌子上仍有用過的五個杯盤，六瓶眼藥水中有五瓶過期……令人不解的是，起身就是永遠想不到去

順手收拾，即使提醒了，也很可能掉頭回去，然後只拿其中一個走。無法多工的他，事情一旦多起來，會焦躁地說：「一個一個來，這樣我會亂掉。」

有了兒子以後，因為這些「特色」的影子，重疊在兒子的身上。促使老母拋開成見，冷靜客觀地去思考原因，終於對這種種特質做出重大改觀，有了一百八十度的轉念。目光如豆變成了專注在最重要的事，心無旁鶩很可能是成功的特質，散漫變成做大事的人不拘小節……

而這些，儼然又是另一種差異了，對待「自己的兒子」和「別人的兒子」的差異（XDD）。

（註：馬遮眼革是一種馬眼上的繩環革，以遮住馬眼，使馬無法看到側面的物體，讓馬不會受到外界的驚嚇。）

養男孩也太好玩

你可能聽過這種說法，說那些能輕聲細語、溫柔堅定、優雅從容的媽媽，都是女兒的媽媽。我第一次聽到是大女兒一兩歲的時候。當時，我實在不能理解這個說法。在那個「只有女兒」的幾年內，我從來沒有大聲跟女兒說話，萬事都能好好說，永遠低分貝溝通。「這麼兇幹嘛？好好說就行啦！」看著賣場裡的親子大戰，我一邊心想，一邊拉著女兒，在她耳邊輕聲說出不能買的理由，就順利離開現場。

女兒與兒子是兩種不同的系統

直到……兒子來了，報應也來了（誤），彷彿該得到的考驗、該學會的課題，老天絕不會讓你錯過。生養到男孩，我只想說：「他……真的是沒有在給你聽人話的啊啊啊！」

原本總是可以優雅地說：「小孩不聽話？就是好好跟他說清楚，不懂就耐心一點多說兩次，以後就懂啦！」（溫婉假掰笑）

我按照著過去貌似「成功」的經驗，理性而溫和地與兒子溝通，卻沒想到，他竟然是個外星人！（大誤）他竟然，說一次、兩次、三次、十次、無限次……還是一樣！這打破了我的認知與理解、推翻了我慣用的教養方式，有時候我真心懷疑，他的耳朵是不是會自動過濾掉一些雜音，例如：叮嚀、提醒、警告、教導、溝通之類的內容。

然後，很快地，我覺得自己必須先跟過去那六年（大女兒跟兒子相差六歲），身邊所有被兒子折磨過的媽媽們誠摯道歉。妳們的無助絕對正當，妳們的崩潰也只是適時抒解壓力而已！女兒與兒子是兩種不同的系統，腦當然一樣是顆腦，但是在對事物的選擇上，當兒子腦跟女兒腦開始運作，就會深刻地感受到兩者之間的差異。

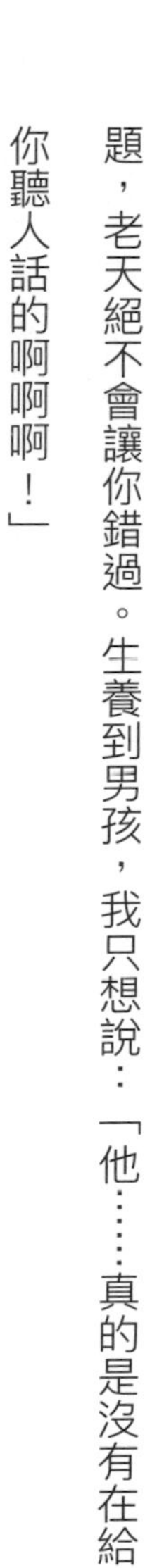

害怕他，不如加入他

不幸中的大幸是（欸），雖然過程不是太猛烈，但資深老母已然經歷過兩個孩子的洗禮，年紀也更大……不是，是更成熟了，不至於被「看不懂」、「不太熟」的男孩搞瘋。在還算游刃有餘的育兒經驗之下，觀察這個「新物種」，後來意外成為了老母樂此不疲的興趣。如果你害怕他，不如就加入他；如果你不懂他，不如就欣賞他。天天都有新發現，當然偶有挫折與迷惑，但更多的是樂趣。

兒子的步伐還走得搖搖晃晃的時候，帶他去公園、去海邊玩耍，要是身邊有漂亮的小姐姐，他會把手上剛撿到的貝殼或是小花，獻給漂亮小姐姐。這個時候，我才發現，啊！這就是追求（幸福）的天性嗎？男生也太可愛了吧。

永遠興致勃勃地計劃要玩什麼，看到有趣的實驗影片，會一刻不能等地也想試試看，連做菜也是他的愛好，查食譜、買菜備料、大展身手、寫下紀錄。

小男孩真是行動力十足啊！

在男孩身上，我看到的是另一種很動物性的、很純粹的、直覺又爽快的可愛模樣：喜歡，就直直地衝過去；討厭，就死活也不接受。小小的總裁，生活中每一次的決策，都是如此果斷，一再身體力行地向周遭強調：我就是這樣。那何嘗不是一種生而為人的精神？

說到這個份上，難道我們就放棄從自身影響孩子了嗎？說好的身教呢？不不不，別那麼快把身教丟向教養洪流中、歷史的灰燼裡。如果妳的男孩，拚勁十足、目標導向、堅定一致；如果妳的特質，細膩同理、剛柔並濟。那麼我認為，要是能把自己天生的特質，一點一點地傳授給男孩，他將成為一名完整且不同凡響的人物。當然，這個更加有趣的工程，我也還在努力中。當一個男孩的老母，讓老母成為更好的人。

圖 /Sammy

2

男孩太活（頑）潑（皮）？他在嘗試中長大

「我把他看得很小，也很大。」

把活在當下的禪學大師，變成專注力高手

兒子經常性地讓老母我心臟衰弱的是——想到什麼做什麼。

某天晚餐後，他在我書桌邊，用力吹出一顆紫色的氣球，吹成跟他的腦袋差不多大小，然後再拿出綠色的色紙，一陣喀嚓喀嚓，快速又熟練地剪出外圍不規則的鋸齒狀，紙中間挖個洞，最後套在氣球打結的啾啾上，說：「嗟啦！茄子。」

頓時你真不知道孩子每天都在想什麼垃圾……更正，是那顆小腦袋瓜都在想些什麼奇妙的事情。

脆弱老母如何放手

當然，這算無傷大雅的，但生活中也有「很傷大雅」的事件。像是每到荒郊野外都要瘋狂撿石頭的拾荒者，已經無數次撿到偽裝成石頭的、風乾的、不知名的動物便便。「媽咪、媽咪快看！這個石頭好特別！」，看著「拾荒者」喜滋滋如撿到寶地捧在掌心朝我靠近，「真特別……啊啊啊！快拿開！」當下老母簡直花容失色。

但是，如果我們能用欣賞的角度，來看這些想到什麼就立刻行動，看似不多加思考，甚至不記取教訓、不計後果的即知即行，就會覺得這種不因過去經驗而裹足不前，極具力量的做法，不就是傳說中「專注在如刀鋒般銳利的當下」的境界嗎？

如此說來，就應該完全放手讓他嘗試嗎？這是很多人問我的問題。

脆弱老母我的第一個做法是：協助孩子做好防護。

兒子經常會玩有點危險的工具，如鋸子（是一般鋸子，德州電鋸我還不敢給）、鐵鎚、電鑽、各種打磨機械……

我能做的是，盡力為他做好防護，如讓他使用皮製指套（防鋸傷）、N95口罩（防吸入木屑）、護目鏡（防噴濺）等護具。

隨之而來的第二步是：躲起來。我自知不是一個「大心」的媽媽，為了不讓自己的小心臟衰竭，這時就不挑戰自己的視覺能耐了。做好完善防護措施後，就快步離開現場，去忙自己的事，用一種極其逃避的態度去忽略兒子正在大興土木、動刀動槍的事實。

而這一切，都是為了讓兒子專注在當下想完成的東西，享受往目標全力前進的快感。所以，再怎麼苦，媽媽都可以為你忍耐！

開啟專注模式

其實，也沒煎熬過多久，總裁目前已經可以立刻進入專注狀態。據我所知，他連在學校上課時也十分專心投入。為什麼我會知道學校的情形呢？除了老師的評語外，他的成績一向顧得不錯，但從來沒見過他放學回家複習過。有一次我好奇問起，他的回答是：「我上課很專心，上課聽懂，回家就可以認真

玩了。」（嗯嗯～孩子你誠實）

事實上，以我家雙子男的天生特質來說，是非常容易分心的。總是東摸西摸、東張西望，對什麼都有興趣。

讓他學會專注，不是刻意訓練他、改變他，而是建立在本質之上的轉換。既然男孩喜歡快感、速度、成就感，那麼某種「作業模式」就很符合這種需求，除了有效，彼此還都能保持愉快。

這裡就不得不特別提一件總裁把專注力發揮得淋漓盡致的事情，那是「飆作業」的上乘功力。

他放學後，寫作業前，會先擺出陣勢，看得出來運了真氣，也給自己一個時間限制，用打破寫作業大會紀錄的氣勢，全速開寫。當然，寫作業可不能亂寫。寫醜了，老師不會給過；算錯了，可能還得發回訂正。對日理萬機（每天大量玩耍），時間就是金錢的總裁來說，不但追求速度，也得同時講究正確性。

所以關鍵來了！他必須讓自己心無旁騖，人世間的一切俗事不再與他有關，那狀態我猜跟電玩打怪可能差不多。這時，千千萬萬不要打斷他，高速運轉中如果被白目地打斷，後果不堪設想。

有一次，我人在工作室，不知道兒子在拚作業，於是沒頭沒腦地呼喚他過來，叫了幾聲，他終於走過來。令人心驚的是，他眼裡帶著淚、身子微微僵硬，我瞬間察覺自己做錯事了。

「你，你在專心嗎？」

「嗯。」他哽咽著點頭。

「喔喔！抱歉抱歉！」（抖）

被打斷的總裁，回到座位重新開機，幾十分鐘後作業完工。

「呼——成功！」他吐出一口長氣，接著拿出聯絡簿，在每個功課項目上面都打上代表完成的小勾勾。

老母問：「需要我幫忙檢查嗎？」

總裁一臉「妳在開玩笑嗎我誰？」的表情，說：「沒有這個必要。」

各種「好用」，造就總裁自信

叩叩叩，叩叩叩，我和兒子互敲腦袋瓜，然後我說：「你的頭是實心的耶！感覺是一顆可以想出很多好點子的腦袋喔！」

總裁玩過頭了，在沙發上突然斷電昏迷。半小時後爬起來，又是一尾活龍，玩到彷彿沒有明天。

「你知道你為什麼才睡一下下就有精神了嗎？」我問兒子，他搖了搖頭。

我說：「因為你的電池還很新啊！只要一下子就充飽電了。」

老母與總裁經常有類似的互動對話。

⁝ ⁝ ⁝

如果想像，孩子未來遲早要獨自行駛在浩瀚無垠的宇宙，那麼我想將他打造成一艘精良堅固的小飛船。

要不要再試試看

要是我們已經知道，即使再怎麼努力，在啟航那一天，也無法百分之百賦予他真正完美、足夠應付所有狀況的能力，那麼讓孩子覺得自己「有用」、「好用」，對於自己天生搭載的「裝備」深具信心，可能就是第一個步驟。

我花下許多心思，讓總裁熟悉並樂於使用自己的裝備。

比如，當他遇到困難跑來找我時，我通常不直接幫他解決或給他答案，甚至不會給他方向。如果他顯得很挫折，就先以安撫情緒為主。接著才去說服他，再努力試試看。

「先用你超棒的頭腦想一想。」

可愛的小男生收到指令，會很「具象」地伸出兩根食指，一左一右，抵著自己的太陽穴。低下頭，緊閉眼睛，嘴裡念念有詞：「動動腦、快動動腦……」多數時候，屬於小朋友的「難題」很快就能解開。要不了一下子，就能看到總裁倏地抬起小臉，眼睛裡閃著星星，拍手喊：「有了！」然後開開心心地跑去執行他自己想到的好辦法。

這個做法，是一個不傳外人的祕方。（所以寫在書裡是？）長久下來，兒子已經養成「很愛想辦法」的習慣，非常享受解決問題帶來的成就感。

熱愛做木工的他，常常以動物為主題。要把動物做得像的訣竅是「抓特徵」，然而如何表現特徵，抓準比例，對於一個六七八九歲的孩子來說很不容易，尤其他的材料經常只是各種粗細的木條。所以，「發想後續，不知道該怎麼執行」，就成了家常便飯。他可能自己去找動物圖鑑，上網搜尋照片，找可運用的素材，畫設計圖……製作過程中，還得克服許多難題與限制。發展到後來，愈趨專業，甚至開始有人訂製，他還得學習如何在預定時間完工出貨。

這是完整的學習，從無到有。父母能幫的就是陪他去採購工具和材料，要完成一件作品，靠的是孩子自己的堅持。那個最終學到的無價本領並不是木工技巧，而是一個面對挑戰，解決問題，並仰賴自己意志力去執行的歷程。成功完成值得喜悅，但即使失敗，也能接受與調適。

就像照樣造句吧，這是人生經歷的簡配版。我們可以借助孩子本身有興趣且願意為此付出的事，反反覆覆、一次又一次地，讓他練習這樣的流程，讓「我很有用，我很擅於解決事情」的認知深植在孩子心中。

男孩愛玩愛搗蛋!?

男孩，只要不小心開啟（還是從沒有關上過）名為「試試看好了」或是「好想玩玩看」的開關，就會直接往實踐想法的方向邁進。衝動也好，好奇心也罷，總之不去做，他會很痛苦。

總裁甚至患有重度的「好玩事物缺乏恐懼症」，這並不罕見，好發於一般人類小男孩覺得無聊的日常生活中。

我可以輕易舉出一百個病發時的行為表徵案例：冰箱裡，常出現一些來路不明的東西，如：石頭、樹葉、裝著彩色液體的容器。男孩用過的浴室，因為實驗過水球自由落體、泡泡製造技巧、各種物體的浮力測試……成為海嘯剛退去的模樣。根莖類蔬菜被拿去種回土裡、大批豆類被拿去孵豆芽……（以下因篇幅有限，故省略七七四十九筆案例）

要是家裡的小男孩出現這類看似搗蛋的行為，你會選擇把小孩抓來訓誡一番，讓他遵守冰箱的用途，不要浪費水資源，不要玩食物，順便想想飢餓的非洲難民嗎？還是會選擇把自己的大腿掐到黑青，也不輕易出口動手，因為你知

道，小孩哪來的正經事呢。（誤）

搗蛋，其實真正展現的是靈活思考和行動的能力。而一朝有正經事可做了，我深信這些經驗就會變成實踐的力量，這並不是老母在自我安慰。（雖然看起來很像，因為你的表情在糾結，臉部在抽搐喔！）說得更功利一些吧，一顆運作順暢的大腦，遠比訓練出能把試考好的機器腦，還要管用得多。而這樣靈活的大腦一旦拿來應付考試，也是不會差的。

所以，小孩能不能自由自在瘋狂地搞事、放心地發揮創意，取決於媽媽是否支持。「齁！你真的很會想這些有的沒的欸～」老母附上一臉真拿你沒辦法，無奈卻又不失讚許的表情。

自然地稱讚就好

講到稱讚，不得不提一個坊間蔚為風行的說法：要稱讚孩子的努力，不要稱讚他的聰明或天賦。而我，其實在稱讚這件事上，不曾刻意做出正確的樣子。也就是覺得孩子努力，就稱讚他努力；孩子顯得聰明，就稱讚他的聰明，一切實話實說。

最常說的像是：「哇哦！你的腦袋好管用啊！」也會去稱讚孩子聰明：「挖～你怎麼這麼天才？可以想出這個好方法！」

至於「能想出這個好方法，你一定很努力吧？」這種「正確」的說法反而很少，因為我怕孩子心想「呃，其實也還好」。

稱讚具體的行為固然沒有錯，但我的做法就是看當時狀況，自然地稱讚。

當然，誇張地大肆讚美，對孩子是沒有幫助的，除了無法獲得成長型思維，無助於了解努力和過程的價值，也容易讓你的讚美在孩子心中失去公信力。只是，凡事過猶不及，如果能稍微換位思考，想想自己小時候，是否會因為被稱讚「哇！好棒喔」、「太厲害了！這很難耶」就從此自滿，覺得自己是個小天才而不願努力了呢？還是會因為接收到一份無論如何都看好自己的支持，而更加努力呢？我想答案就很清楚了。

看得很小，也很大

「現在的孩子好早熟啊！」這句話大家應該都經常聽到。其實我認為，現在的孩子不一定早熟，但大多「早慧」是真的。由於外界的資訊量多，當懂得愈多，就愈看似成熟。所以，該如何拿捏得宜，什麼時候把他們看得大，什麼時候把他們看得小，就非常關鍵。

兒子打從娘胎出來，就自帶著滿滿的好奇心。不同於女兒會先保留一段觀察期，他什麼都迫不及待地先試試看，什麼都要抓一把再說。活像一隻才落地的小鹿，歪歪扭扭地開始學走，看著草叢中的蝴蝶就追了上去，卻忘了自己還不會跑。

相信孩子，是媽媽的功課

所以小小的男孩，總是活力十足，興沖沖又急匆匆地想做好多事。他從來不無聊，只怕時間不夠。我看著他活蹦亂跳的身影，常心想著：「不就出生才幾年嘛，他怎麼能這麼忙呢？」

很快地，那頭可愛小鹿轉眼跑得跟飛似的。老母又心想：「怎麼才兩歲就到了傳說中該放手的時候？」（是不至於！）但是，從這半野生特有種小公鹿的觀察過程之中，我也很快地了解到，我們要做的，不是喊住他、叮嚀他、操心他，而是在旁邊納涼（也不至於）……是在背後看護他的安全。

有一次，廣播節目的訪談中，節目主持人問，要怎樣才能跟我一樣放手讓孩子嘗試？我是不是一個比較不容易焦慮的媽媽？偶爾在網路上，也會有人問我，是怎麼做到放心讓孩子動刀動鋸的？

相信孩子其實經常是媽媽的功課，不是孩子的。然而在意就會擔心，這並沒有錯。強迫媽媽不能擔心，這不符合天性。

我做的，是不讓自己被焦慮吞沒，或變成焦慮的怪獸去吞沒孩子。如果已經了解自己的罩門是母性的保護慾，就不要讓自己陷入無盡的擔憂中，而做好準備，才是最實際的好方法。

就以兒子愛做菜為例吧。

總裁的另一個身分是「阿咕師」（兒子的暱稱是小咕），抓周抓到湯勺的他，從幼兒時期開始，就展現出對做菜的高度興趣。正確來說，他覺得「廚房的一切都很好玩」，有各種刀鍋瓢鏟，最酷的是，那個能煮熟東西的、冒著光芒的、對小男孩來說有點危險有點刺激的……神奇之火。

基於無法時時刻刻盯著孩子，於是老母決定教兒子怎麼使用爐火、教他如何切菜不切到手、教他認識食材、教他清理環境……

我把他看得很小，也很大。看得小的是現實，像是他還不夠高，有時還無法衡量廚房裡有許多危險性。看得大的是，他其實已經具備靈巧的操作能力，沒理由不相信他能做菜。

如今的阿咕師，已經很懂得用刀用火，也熟練到不容易受傷。放學回家可以做點心給自己吃，烤起司馬鈴薯、煎肉片裹蔬菜、拌優格水果沙拉……家庭安親班的伙食整個太好。晚餐偶爾也會由他負責，寫這本書的時候，他熱衷做壽喜燒，周遭的親友們都被邀請來試菜。（辛苦大家了！）

這種優異的煮食能力，相信在未來競爭激烈的單身市場，可以讓兒子奠定基本的分數。（比讚）

愛的電量，隨時補充

媽媽可以想得很多，但為了尊重孩子發展自我時的投入，讓他長成健全而有自信的人，就必須干預愈少愈好。

正是因為這樣，我認真去思考所謂「慈母多敗兒」這個說法。得檢討那個「慈」，究竟是什麼？怎麼才能讓「媽媽的寶」不等於「媽寶」？

媽媽對兒子的慈愛，一旦過量，就容易變成過度保護和期待，其實對兒子長成一個勇敢負責、有益於社會的男人是沒有幫助的，愛兒子的老母不可不慎。

他需要充電的時候，讓他好好撒嬌抱抱；他想要長大的時候，不要成為他的阻礙。

老母能做的是運用女性細膩的特質，增加兒子知性貼心的部分。可以藉由「請兒子幫忙」，甚至刻意安排某些非他不可的事情，製造一些問他「這樣做你覺得好不好」的機會。如此一來，不但能使關係平衡，兒子也會因為覺得自己很「管用」，而更加看重自己。

現在的兒子，也跟我對待他同樣，把自己看得很小也很大。有時候是骨灰級老嬰，賴在老母懷裡抱好抱滿，充飽電才願意離開；有新點子想要試試看，有其他事物吸引他的時候，就會化身成親娘不認的熱血玩家、勇敢冒險家或瘋狂實驗家，而且切換自如。

接著，我希望他不只是接收愛和保護，也要相信自己能付出愛和保護別人，這樣才算是真正完成「長大」。

自愛，沉穩，而後愛人。

話要說清楚

一天，我叫兒子去整頓他的工具箱。聖誕老公在他小二那年，送給他一個專業的工具箱。有上掀蓋和兩層抽屜，抽屜可以收納他玩木工時需要的眾多零件，但也許是因為東西太多，下層抽屜關不起來好幾天了，老母看著礙眼，終於請兒子去把它給弄好。總裁也乾脆：「沒問題！我來處理。」就蹦跳地跑過去。

十多分鐘過後，工具箱的方向，哐啷哐啷的聲響，愈來愈密集，愈來愈顯得不耐煩。又忙了一會兒，最後他終於跑來抱怨，說「關不上」。老母沒有先批評他沒耐性或沒用對方法。我平靜地看著他，對他說：「你知道是解決得了的，只是有點麻煩，有點花時間。」接著再強調：「如果你沒耐心慢慢把這件事做好，我也可以幫你。」

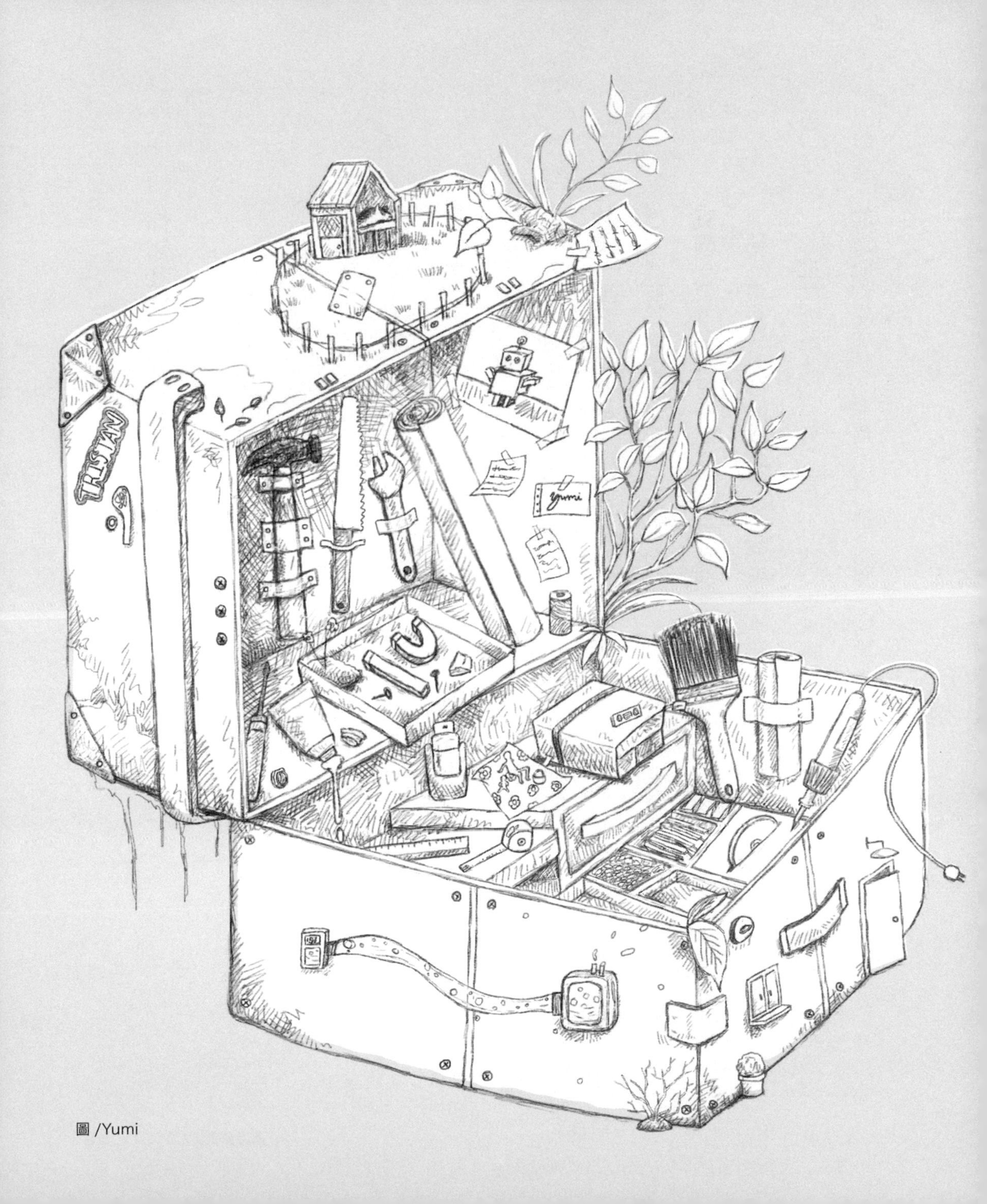

圖 /Yumi

你知我知，讓我們把話說清楚

小孩很吃有人把事情梳理清楚這招啊，因為其實，再怎麼關不上，大不了把所有的工具都拿出來，一定能知道什麼地方卡住了，這點他也是知道的。於是我才說完，他便收起不耐，轉頭回去繼續努力，沒有懸念。幾分鐘後，就聽到一聲：「耶！成功了！」

他知道自己可以做好這件事，並不太困難，只是需要一點耐心。你知我知，讓我們把話說清楚。

許多人會這樣形容我家總裁，說他是個「很好溝通的男生」。其實，這是需要長期在日常互動中，與他好好對話，讓兒子聽懂，而習慣理解的過程。雖然，我並不算是一個走冷靜路線的老母，但是男孩喜歡清清楚楚，這是無庸置疑的。所以在和兒子溝通的關鍵時刻，我會讓自己盡可能地耐著性子，把話說清楚、講完整，也確保這些話，清晰明確地傳送到兒子的腦中。

把話說清楚，對兒子有很好的功用，讓某些連他自己都不知道哪裡冒出來的情緒得以緩解，學習不被紛亂的雜念所控制。

男孩子喜歡說清楚，喜歡有規則，可以從兒子做菜的習慣窺出一二。他會先找教學影片，按食譜買材料，照步驟做菜，煮完菜還要自己寫下紀錄，甚至有難易度星級評價和美味程度評分。

但你以為喜歡清楚，就等於有紀律嗎？不。

以慌亂出門時為例，女兒看到媽媽忙著準備東西，她們會意識到現在是什麼狀況，就算還很小的時候，也會去備好自己的小包包，更機靈的則會提醒媽媽出門時間。

但兒子通常只顧著玩，沒眼力見地非要老母欣賞一下，他剛用垃圾重新排列組合成的新垃圾，或是看一下他剛練好的魔術，最後因為太干擾出門作業而被罵收場。

然後，他無辜兮兮地把重點放在妳的表情，妳生氣了，他好傷心。看起來一臉備受打擊，但下一次出門，還是一樣。（嘆氣）

我的做法是，找一回有餘裕時間的出門機會，帶著他進行一遍「理想出門前的表現」。透過詳細地敘述，讓他完全理解狀況：準備出門的時候，大家通常會專心在「有沒有什麼東西忘了帶」、「瓦斯爐有沒有東西在煮」、「燈關了沒」這些事。這種時候，如果家裡其中一個成員，不但沒有幫忙，還一直干擾別人，就容易受到缺乏耐心的對待喔！

更有吸引力的方案

跟男孩子溝通，一定要講道理、講邏輯，他們是喜歡被「合理說服」的人種。沒讓他們真正聽懂，結果老母的叮嚀被當耳邊風是常有的事。要是能多花一點心思，讓男孩培養出遇到事情理性思考的習慣，我想未來無論在人際，以及在學習各方面，都會相當有幫助。

那天，好朋友送來一箱給孩子們的聖誕禮物。其中有一盒，堪稱愛手作的孩子眼中的夢幻逸品：DIY袖珍屋。

整套袖珍屋內含精巧的店面、階梯、桌椅、郵筒、街燈……如果能順利組裝完成，那會是日落小巷的一景，是小鎮遺忘了時間，在悠長的黃昏裡懷念。

兒子話不多說，俐落地拆開包裝，詳閱說明書，眼見馬上就要著手動工。可是這時，已是平日的晚上九點，這樣精細複雜的工程，少說也得耗費四、五個小時，哪能讓孩子玩到半夜呢？但我對總裁大人即刻執行的精神是再清楚不過了，如果對他興沖沖想做的事，貿然去按下結束鍵，只會造成親子間的衝突，是絕對行不通的。

於是，我湊過去，和他一起看說明書。當我們彼此都有「看起來滿花時間」的認知時，我說：「如果週末再玩的話，可以一鼓作氣組合好，還可以拍縮時攝影，一定更好玩喔！你要不要考慮看看？」沒有馬上否定他，只提供一個更有吸引力方案。於是，他想了一下，把東西擺回盒子裡，決定留待假日再開箱。

圖 /Yumi

有時候，我們不必經歷衝突，只要一次又一次，讓男孩子習慣「冷靜理解」、「凡事有解方」的流程，把話說清楚的同時，也順便加強男孩有時候「偏弱」的溝通能力。

對了！這裡還要再提供一個對我來說比較困難，卻更有用的「進階版」——要是講道理暫時無法說服男孩，使出「有科學根據」的話就無敵了！我運用過幾次，堪稱不敗密技。

舉一個最近的例子，兒子經常玩到太晚睡，每天押他上床、變成一件很累人的事。於是有一天，我蒐集好資訊，把他找來。「你喜歡的女生是不是比你高？你說過你想長高對嗎？」我問。

他點點頭。於是我將一系列長高的方法資訊傳給他，再誠懇表示：「你研究一下，媽媽會陪你一起努力長得比喜歡的女生高喔！」

隔天，我家的廚房門片上，出現了一張紙。上面詳列出有助於長高的重點，當然也有早睡這一項，是兒子的筆跡。

3 多抱抱會變好人

「希望孩子成為溫暖的人，
不如先給孩子這項禮物吧。」

他有多愛你

「你最愛誰？」老母的日常「盧小小」一百問。

「媽咪！」兒子的日常一百答。

「愛多久？」老母再問。

「沒有時間，永遠愛！」兒子秒回。

「你怎麼知道你能愛我愛這麼久？」

「因為，因為我是我！」兒子生氣了，老母卒仔逃跑。

絕對不能被辜負的愛

有別於女兒，那種互動的、一來一往的愛。兒子會用「我喜歡這個、我喜歡那個，我也喜歡媽媽」來表達兒子對媽媽的愛，很直觀，很有行動力。我喜歡這個、我喜歡那個，但是全世界我最愛媽媽。是霸道總裁式的愛，是沒有一奈米懷疑的愛，是絕對不能被辜負的愛，這是我感受到的，深刻而真實的，兒子的愛。

當老母心情不美或身子骨不適時，我的大女兒會拉著弟弟妹妹說：「媽咪不開心，我們去玩別的吧！」二女兒則會拿出紙筆，畫張暖心的小卡片，偷偷塞進媽媽工作室的門縫。這些是來自女兒的體貼，配合本身的特質，找到關心的方法。跟女兒比起來，兒子的擔憂就顯得十分淺薄（XD），直觀卻真誠得可愛。他會不知所措地站在一旁，難過地紅了眼眶，比當事者還先落淚，然後老母還得安慰他。

同時，兒子也必須得到一份完整的、隨時隨地無限量供應的愛。以早上兒子出門上學時為例。打從他上幼兒園第一天開始，老母和兒子就開展日復一日沒完沒了的「說再見儀式」。兒子的每一次回頭，老母都要在他的視線裡；兒子的每一聲掰掰，老母都必須也回一聲掰掰。

無論那天早上，老母是什麼狀態，都得站在家門口，堆滿微笑，邊揮手說：「我等你回來喔！」「今天也要加油喔！」（突然覺得，這個行為跟他總裁的綽號似乎挺一致的？「賴董常來啊！」）

然後放學了，妳的小男孩一進家門就衝過來抱妳，嘰哩呱啦說個不停。「今天過得如何呀！」是我歡迎他回家的第一句話，然後認真地傾聽兒子今天面對外面世界的勇敢戰績。於是，出門、回家、出門、回家……從第一天上學開始至今，數年如一日，從不改變。在小男孩的內心，有一個令他無比安心的基石；而家門口，成為老母早晨時光的望子崖。

說實話，我並不是「知道」才這樣做的，這個習慣，是由兒子的需求而自然產生的。他把對生活中所需的「愛的養分」，毫無保留地仰賴於媽媽。他負責盡情地向外探索，同時安心地知道，有一條全年無休的輸送帶，從媽媽的位置，源源不斷地給予他支持和愛的能量。

失去媽媽，我也活不下去了

兒子也彷彿將「自己是不是一個值得被愛的人、有用的人」這樣的認知，全然寄託在媽媽的身上。這件事，在我養育兒子的初期，他可以爬出我的懷抱開始，就已經發現了。他會一直不斷地確認我的位置：

媽媽是不是還看著自己？媽媽的神情，是鼓勵？還是擔心？

手上玩著在各處拾荒來的石頭、葉子、貝殼，然後捧著回來給媽媽看，他覺得自己很棒，也要在媽媽的回饋裡看到讚賞！

就像掃地機器人回來充電，又像小太空船回到母艦維修。兒子把心靈的穩定，依託在媽媽身上，讓媽媽好好保管，等他玩累了，再回來。親親抱抱時，在你懷裡滾啊扭動著，妳就是他最安全舒適的所在。

有一回，日理萬機的老母忙著處理急事，兒子恰好跑來找我。老母忙中有錯，不小心說了一句：「不能抱抱喔！」他立刻抿起嘴，眼眶紅通通地死瞪著我。頓時我知道，完蛋了！小男孩心碎了。他把現在不適合抱抱，無限上綱成今生今世，甚至直到世界末日，都不能再抱抱了。

後來，我為那一句便宜行事的快語，花了數倍的時間，一點一點修補小男孩破碎的心。所幸，可以放心的是，修補好就沒事了。當他理解妳的無心，認同那是個意外，找回對妳的全心信任，一切又會回歸平常。

那彷彿「失去媽媽，我也活不下去了」是真實的，當然也是暫時的。我常說，媽媽絕對能輕易地傷害孩子的心，那是基於兒子對媽媽在成長階段的「專情」。從這個角度來看，大家說「兒子是前世的情人」，一點也沒錯，應該許多媽媽都有這種感覺吧。可愛的兒子，純粹的愛。

愛撒嬌，已認證

雖然現在社會風氣已經不若傳統那樣，要求男孩子不能哭，不能示弱。那撒嬌呢？撒嬌會讓男孩子養成依賴的習性嗎？

我觀察後的答案是，一個沒有壓抑自己對溫柔安定需求的男孩，不但不會退縮，反而非常勇敢。

關於撒嬌，我家的男孩與女孩也不太一樣。女兒的撒嬌，是一種互動連結，而男孩的撒嬌，是一種能量獲取。愈撒嬌，愈勇敢。像是兒子愛玩木工，也清楚做木工不是鋸子就是釘子的，很容易受傷，但他知道媽媽會教他保護自己，受傷了也會照料他，給他很多安慰，所以沒什麼好怕的。能盡情撒嬌的兒子，就能盡情地嘗試。

但是兒子並不會因此無盡地索求過度親膩的關懷，一旦他感到足夠，血量充飽了、電量滿格了、時機到了——就會勇敢奔赴探索自我的旅程。兒子確實需要媽媽的溫暖呵護，但他更喜歡勇闖江湖的自由。

抱抱情境劇

老母：「你為什麼這麼愛抱抱啊？」

兒子：「抱抱最棒。」

母：「要抱到什麼時候呀？」

兒：「抱到老！」

我們還一起演了一齣戲，一位老爺爺拄著拐杖，步履蹣跚地往一位超級老的老太太走去。遠遠的，老爺爺聲音嘶啞顫抖地喊：「媽～～咪～～抱～～抱！」

這是某一天睡前，老母和兒子的互動。

從前也有要孩子在嬰兒時期就獨立起來的養育法，當時雖然蔚為風行，身邊也有許多媽媽，甚至老師朋友們大力推薦，我卻無法照做。想著如此幼小的生命，剛剛降臨在這個陌生的世界，就算無時無刻想要黏在自己最熟悉的媽媽身邊，不也是很正常的事嗎？我告訴自己，不要將一個生命帶到世界上想得那麼容易，認命吧！想黏就黏吧！整日整夜地抱抱吧！這樣想就好多了。（其實沒有）

但你以為兒子就這樣無限制地黏著老母嗎？不，該自（ㄧ）立（ㄐㄧㄠˇ）自（ㄊㄧ）強（ㄎㄞ）時，他也會隨著成長，因時因地、自然而然地有所調整。

兒子小學三年級的暑假開始，加入了學校的球隊。因為這項額外的活動，老母驚訝地發現，原本要在床上撒嬌十幾分鐘，連衣服有時候都要老母幫他換的賴床大王，居然每次訓練日的晨起時間，都會自動縮短在床上掙扎滾動的時間，最後果斷的一個翻身，毫不留戀地跳下床。

所以老母們千千萬萬不要誤會，以為兒子的撒嬌是依賴的行為。其實，動物有脫離母體的本能，人有，男孩也有。再怎麼撒嬌，如果不是一種行為控制或是過度保護，很難影響向外拓展、冒險、競爭、渴望獨立的天性。撒夠嬌的兒子，他得到了想要的力量與愛，在轉身離開你，踏上旅程時，那可謂是充滿勇氣啊！

附註：老實說啦！如果兒子想要一直賴著我，我也是會很開心的。是說，想得美咧！他就是得到愈多愛，愈有力量離開。（老母幻想看著兒子離開的背影拭淚～）

直男我不懂

這天晚上，抱抱狂魔來了。已經很大隻的他，扭來扭去，一秒變嬰兒，畫風溫馨又甜蜜。

但他溫聲軟語說的內容卻是：

「妳知道駱駝一次能喝多少水嗎？」（不知道）

「二十公升，然後牠的身體就會膨脹兩倍。」

「妳知道沙漠裡面的甲蟲怎麼喝水嗎？」（誰會知道）

「當沙漠中的大霧來臨時，牠會抬起屁股」，他邊說邊做動作，「因為背上翅膀有親水性，會聚集小水滴，小水滴變大水滴，再順著牠的身體流進嘴巴裡……」

接著，他摟著我的脖子，深情款款地望進我的靈魂，嘟起嫩嫩的小嘴……用力往我的臉上一吹！

「吼！什麼啦！」我嚇了一跳問。

他聳聳肩說：「妳的頭雖然是圓的，但是沒有『康達效應』（想了解的讀者請自行搜尋XD），應該是頭髮太亂，氣流被擋住了！」然後不知道從哪兒拿出一顆吹飽的氣球，放手讓氣球掉落，接著氣球在碰到地板的瞬間，不合理地爆破了。

他開心地又在懷裡扭了幾下，說：「因為我在氣球裡放了一個硬幣，硬幣碰撞地面會產生熱，硬幣的鋸齒碰撞氣球，也是造成氣球爆炸的原因……」

直男的撒嬌我不懂。

成為溫暖的人

媽媽相信兒子，全然接受，兒子就會變得很好。無論如何，媽媽都愛你，接受全部的你……但坦白說，老母是一種就算再有審美水準，也會覺得兒子是世界最帥、最可愛的生物。（沒有之一）

不要求做不到的事

這裡要特別提出的，是接受、尊重兒子的成長步伐。從無時無刻都掛在媽媽身上到自然離乳，從尿布不離身到他自己提出想戒，從一定要媽媽陪睡到他可以自己入睡……兒子還做不到的事，我絕不強迫，一切都等他準備好了再說。

因為見識過男孩對於「怎麼就是做不好」那種深受打擊的程度，所以我不願意拿暫時還辦不到的事來要求兒子，特別是「生理」的部分。要求生理上超過現有能力的進步，對男孩來說是非常受傷的。雖然，我們已經長大，可能會出現「蛤~這個也怕~」「什麼！還不行嗎？」的心裡話。但是，千萬不能在兒子面前表露出來。因為我們早已遺忘當時的難，感受不到孩子可能尚未有能力表達出來的需求。

只是，在自然順勢的路上，我不會走回頭路。比如兒子已經從想喝奶就喝奶，進化到只需夜間喝奶，我便會在交界期間，避免讓他在白天有喝奶的機會，以免他又回到前一個階段。

當孩子準備好了，他就頭也不回地往自己燦爛的未來前進了。老母們！準備好的孩子，要看到他的車尾燈都難啊！而因為曾經被好好照顧，他也將會成為一個具有同理心，且溫暖的男孩子。

一起練習「說清楚」

此外，一有機會，當發生事件時，我們就練習和解和原諒。比如這天，我正埋頭寫字的時候，聽見外頭兒子與生父的爭執聲。

兒子是一個想到什麼，就一刻也不能等，要立刻行動的人。大約晚上八點多，他突然想吃爸爸煮的炸醬麵。其實也就是一款常見的即時乾麵，生父偶爾會在特殊狀況，像是太晚回家、老母沒力氣煮、也叫不到外送的時候，煮這道招牌菜。兒子原本只是平淡地跟爸爸說，一次、兩次、三次，但生父一時無法立刻感受到他的內在渴求，以至於忽視他一次又一次的請求。

我隔著房門，從聲音裡，都能感覺到兒子節節升高的怒氣。而生父則持續用著自己覺得合理的方式應對兒子，見兒子耐性用盡，他語氣中帶著不解地對兒子說：「你才剛吃完飯不是嗎？晚一點如果還是餓，我再弄給你吃。」最後，兒子終於崩潰了，情緒激動地哭了出來。

爸爸這時才無辜地說：「喔，既然你是這麼堅持想吃，我就煮吧。」

但一切已經太遲了，兒子奔進我房間，滿臉委屈與淚痕，我知道他已經被爸爸的「實際應對」給搞毛了。

先抱抱安撫一陣子，他的眼淚弄濕了我的衣服，擦鼻水的衛生紙堆在我的工作桌上。讓他發洩一陣，然後我緩緩地說：「爸爸當時正在忙嘛，注意力都在他自己的事情上，沒有發現你是認真想要吃。你覺得很生氣，為什麼自己一直講，爸爸就是聽不進去，非要把你逼急了，對不對？」有時候完整地把狀況描述出來，事情就解決一半。兒子吸吸鼻子，點點頭。

接著，等兒子情緒和緩了一些，我帶著他一起練習「現在就想吃」的表達法。但因為母子倆都不是能正經太久的人，所以此次練習有點走鐘，變成搞笑劇了。

「是不是覺得煩死了，吃個麵還要拜託人家？」

最後我強烈建議：「我覺得你最好是趕快去看爸爸怎麼煮的，這樣以後就不用拜託人了？」

兒子聽到這裡，跳下我的大腿，直奔廚房。沒幾分鐘，廚房傳來父子倆歡樂的煮麵聲。後來，兒子想吃炸醬麵就自己挽袖子煮，甚至好幾次也煮給姐姐們一起享用。

多一點溫暖

有些生活瑣碎事裡的真在意、假作秀，是為了一點一滴培養思維習慣。如果希望孩子能成為溫暖且具有同理心的人，我們也應該如此對待孩子。

我家常出現的「趕稿期」，是容易被孩子「誤解」的時候。孩子時不時闖進趕稿地獄中，為了問功課或手足吵架要評評理，更多是一些無聊的瑣事。當生父、生母們自己也活得不夠順心，就是真正考驗親子關係的時候了。

為了盡可能不要讓孩子「悶著」離開，覺得莫名其妙被波及，或感覺被討厭，甚至留下被漠視的印象。我對兒子的做法是「說清楚」，把因果都描述清楚。

「媽咪已經好幾天沒睡飽了，精神很差，可能耐性比較差喔！」

「爸比最近心思都在煩工作上的事，不代表不關心你們喔！」

「我自己工作上的急事還沒有解決，你們可以自己解決的事情就當做練習好嗎？」……

時常看見一些親子間的誤會，會覺得為什麼不乾脆說清楚呢，只要誠心說明狀況，孩子不但不會帶著疑惑，而且多半都是能夠接受體諒的。

溫暖的終極奧義，是「接納」二字。一旦能接納自己，也就懂得接納不夠好的人事物。在我的經驗裡，真實地、完全地接納，只出現在自己與孩子的關係中。被接納，是珍貴的禮物，希望孩子成為溫暖的人，對自己溫暖，也對他人溫暖，不如先給孩子這項禮物吧。

愛到星球爆炸

我和兒子，有一個比誰的愛最大、誰的愛更久的無聊遊戲。

後來，自從患有「知識缺乏恐懼症」的兒子讀了一些宇宙星系相關的事，他就贏慘了。

「我愛你愛到我老！」我說。

「我愛妳愛到妳死了我還愛！」兒子說，說完又強調媽媽不可以死掉。

「我愛你愛到地球毀滅！」我說，太知道兒子愛這味。

圖 /Sammy

「我愛妳愛到星球爆炸！」小子一臉「嘿嘿嘿輸了吧」。

不保留的愛

我非常注意兒子的「愛的水位」，他的狀態是不是開心有活力，而補充愛的水位的方法，是實質的表達。

聽起來很玄妙，但其實說穿了就是大量的甜言蜜語：

「你太可愛了！」

「媽咪太喜歡你了！」

「真好，好幸運生了你。」

「媽咪喜歡的寶貝。」

「寶貝的全部我都非常喜歡。」

「你是媽咪的心肝肝肝……」

「怎麼會有這麼棒的小孩。」……

除了旁人聽了都要翻白眼的話語，還要加上隨時發射肯定的眼神，搭配上大大的微笑，整個表情說的是：「你很好。」愛要感受得到才算數，我完全不保留地把大量的愛，一股腦地梭哈在孩子身上。

「愛要說出口」所提醒的對象，大多是傳統的、情感表達可能比較內斂的一類人。概括成「那個年代的父母就是這樣」、「他們沒有學過表達」，那就有點輕率、不負責任了。其實，許多父母，從小也未曾被溫柔有愛地對待過，但有了孩子以後，一開始就能用愛來灌溉。除了小嫩肉本身就讓人愛不釋手，孩子對愛的言語的需求，是能輕易察覺到的，尤其是兒子。

當個對孩子用情至深的人

兒子從嬰兒時期開始，只要他一哭、一叫人，我就會馬上放下其他事務，飛奔趕到房間。

「來囉！來囉！」遠遠地我就開始喊，讓他知道我來了。跟他相見的瞬間，堆出笑容說：「你一個人在這裡哭哭呀？」有時候可愛的寶包雖然已經滿臉淚，也會立刻展露笑容。

在我育兒的前期，是一個風行「你現在不讓孩子哭，他就讓你哭」的時代。常見人推薦，身邊也有幾個媽媽朋友奉行著。就像前面提過的，教養有時空的陷阱。在現下的時空，你並不會覺得哪裡不對，甚至覺得滿合理的。只是在當時，我光是想像，就已經知道自己做不到，所以並沒有嘗試。

才來到這個陌生的世界沒多久，一個人在偌大的房間裡，還無法自行移動。「該怎麼辦？好孤單啊！媽媽在哪裡呢？好想有人陪呀。」小小的孩子，如果能知道媽媽都在，一定能產生安全感吧？

反過來想，要是不滿足孩子的需求呢？我想當然可能達成預期的「效果」。就算是很小的寶寶，如果每次哭，都沒有人來安撫他，漸漸地就不會再使用這種方式了。不是懂事了，只是學乖了，發現「再怎麼叫，都不會有人來」，算了！失望了。但這是我們期待的最初親子關係嗎？不被重視是我們想帶給孩子的感受嗎？

這是對孩子最初的同理，但父母拒絕孩子索求的理由，卻是教養市場上正在流行的訓練法，目的是帶孩子會更輕鬆？小孩會更獨立？這對我來說是無法理解與認同的。把一個生命帶來這個世界上，卻馬上要他獨立堅強起來，這也太不近人情了。

媽媽與孩子的親子關係，在孩子出生後，開始逐漸加深。愛孩子的每一個階段，親情是不斷疊加上去的，我想當一個對孩子用情至深的人。所以這樣給予大量的愛直到現在，長大的孩子與老母偶爾出現摩擦，也不會真正損害到關係，也許正是因為愛的基礎很紮實。

圖 /Sammy

多抱抱會變好人

一天睡前，與孩子們的閒聊時光。

我問兒子：「你長大了，怎麼好像反而愈來愈愛抱抱了？」

他聽了，突然從嬰兒模式切換成中年級生模式，一臉「堂堂正正好青年」，說：「媽咪妳知道嗎？吃不飽、活不下去的人，很容易就開始偷東西；富有的人，比較容易當好人。所以，我一直抱抱，我感覺很好，很幸福，就不會做壞事，會變成好人。」

說完又切換回嬰兒模式「蛇」過來抱抱……

這是總裁的抱抱理論：多抱抱會變好人。

但這難道不才是最真實的嗎？當世界上有一個人，無條件地看好你、愛著你，你會為他當一個好人。

那麼，一個被愛養大，被理解、被完全接納的孩子，能不好嗎？

4 直男推薦外掛特質：幽默&創意

「如果你有幽默感，所有女人都是你的。」

幽默感無敵

時常有人覺得我的教養風格與親子互動，很輕鬆、很寫意。我想是因為表現出來的東西，幾乎都帶有幽默搞笑的味道吧。但是，真正每天日夜沉浸式地在家庭裡、在親子關係中載浮載沉的媽媽都會知道——哪有可能會輕鬆！

其實，我認為「苦中作樂」是處世最基本的生存素養之一。那並非「日子還是要過」的佛系思維，而是「都這麼苦了，不拿來搞笑一下，未免太不划算了吧？」的心態。所以，與其說是輕鬆教養，不如說是「苦中作樂教養法」吧！

就像寫文章，思想轉化後，想呈現出怎樣的氣氛，使讀者獲得怎樣的感受，是一種選擇。教養方式也一樣，相處的繁雜疲憊，幾乎沒有哪個時刻是全然太平無事的，但我們至少可以選擇用什麼方式，輸出這生活裡一地的雞毛，做成一把彩色的雞毛撢子。

閃耀著金光的限量選配

兒子雖然是搞笑派，點子多、愛耍寶，但是在思路方面，比女兒耿直很多，甚至有點說一不二、缺乏彈性。可是生活裡總是會出現眾多的計劃趕不上變化，於是兒子的無法轉圜，便為他自己或其他人，帶來不少麻煩。

記得有一回，兒子要我幫他買個奇怪的東西，是一種可以不需要低頭就能看的特殊眼鏡。鏡片是塊狀的玻璃，用來折射視線。才下單，他就把出貨日和到貨日都記下來，天天期待。但到了應該到貨的當天，卻遲遲沒有收到超商的貨到通知，他在家焦躁難安，跑來問我好幾次，「貨到了嗎？」「不是說今天會到嗎？」「要不要聯絡賣家？」最後終於耐不住，竟然乾脆拿著錢包就衝出門，親自去巷口的超商，看看東西到了沒。幾分鐘後，男孩歡天喜地抱著期待的包裹回家了。好險，事情有了完美的結局。

這種事情層出不窮，他不能忍受說好的事突然變卦、已經答應卻沒能辦到，小小的直線腦，似乎不知道怎麼轉彎。男孩子更需要幽默感，因此，我強烈推薦必須外掛在必備特質清單裡。雖然幽默感不是生存必備，卻是閃耀著金光的限量選配，它能讓人在成年以後，活得更加寬心。

幽默，是細緻敏銳的產物，需要觀察入微，需要讀懂空氣，是個聰明之人才做得到的，也能讓人變得更聰明。表面看似輕鬆、放肆或不在乎，其實很微妙。因為有能力跳脫現狀，換一個角度解讀事情，去面對生命的不測與悲慘，才能抓到幽默的哏。有人說，沒有幽默感的人，常常是因為「太認真」。認真，一般來說並沒有什麼不好，甚至是家長老師們最愛的優點，但把關係和氣氛搞得很嚴肅就不太好了。

這裡，我們不能把認真和嚴肅混為一談，卻又不代表幽默的人就是隨性、散漫、不正經的人，更不代表降低榮譽感和對自我的要求。相反地，為了維持幽默真正的品質，需要更佳的效果或是人設反差。一個只知道開玩笑，事情卻做得二二六六的人，那充其量就是會搞笑罷了。

讓幽默成為生活習慣

我們都知道，幽默感好處多多。不但能有效緩解緊張情緒，讓人感到舒適和放鬆、增進人際關係，甚至能夠提高創造力和思考的靈活性。我嘗試讓幽默成為孩子們的生活習慣，於是有些做法和心得可以跟讀者們分享。

首先，準備好一顆好奇心和開放的思維。在日常中，用閒聊的方式與孩子一起觀察周遭的人事物，找出其中有趣之處。一次又一次，當孩子有能力理解所見所聞，並且運用諷刺、諧音、比喻、聯想等各式各樣的形式輸出；另一方面，身為觀眾的爸媽們，也能擁抱那些孩子自產的冷笑話，或自以為幽默的搞笑段子。最後，爸媽若還可以放鬆地看待不是所有人都能接受或理解的表達，那就成功一大半了。

這樣做的成效顯著，以至於我家孩子們的作品中，通常都帶有幽默的成分。他們喜歡在看完電影或讀完一本書後，討論出幽默的觀點，特別是在旅行時，更是幾乎像在進行某種幽默競賽，能詮釋出更特別、更有趣味、更出其不意的人，會贏得其他成員最多的笑聲。笑聲，是世界上最好的催化劑，無需花費，有益健康，功效無限。

爸媽都想教出優秀的孩子，而各家各戶對優秀的定義多有不同。老母我的心願比較大，不僅想讓幽默成為孩子的生活習慣，更想養出有趣的靈魂。當孩子將來在面對特別痛苦的時候、特別幸福的時候、特別難過的時候、特別幸運的時候……在每一次的關鍵時刻，懂得轉移焦點，不過度執著，說這就是「人森」嘛～

幽默感的附加功用

那天，在家庭的閒磕牙時間，大女兒突然對弟弟說出這句人生至理：

「大部分的人都過得很辛苦，如果你有幽默感，所有女人都是你的。」

人生不能沒有幽默，兒子也有更好，與大家共勉。

閱讀和審美，而後有創意

因為我們家庭的本業是童書繪本創作，所以繼前篇，有了無敵幽默感後，接著來談談閱讀、審美和所延伸出來的創意。（買一送三不用客氣^_^）

多點閱讀力

看完電影《捍衛戰士》，老母還沉浸在湯姆克魯斯的成熟氣概中，兒子則展開機翼（手臂）一路飛也似地滑翔回家。這種結果屢見不鮮，看完恐龍電影，他會不停地嘶吼，伸出爪子亂抓一通；看完奇幻電影，就自製各種古怪的裝扮，讓老母彷彿天天都過萬聖節……

兒子超級容易受冒險故事影響，這是個有趣又有用的發現。在我們偏「文」的家庭裡，很少有刺激冒險的氣氛，但是兒子只要有機會接觸到英雄式或具有使命感的內容時，就好像被打了興奮劑，精力十足，滿血登場，頓時勇氣滿點。

所以對應不愛文學類書籍，卻明顯偏愛科普知識類的兒子，我便特意挑選情節刺激緊湊，趣味性高，甚至有點搞笑幽默的內容，為的是帶給他「閱讀很有趣」的體驗。老實說，雖然比起閱讀，兒子依然更熱衷於投入各種科學實驗類頻道，但也漸漸累積一定的閱讀量，而且每個階段該讀的經典讀物都沒錯過。

家有大孩子已養到十幾歲，老母深感現在的孩子真是忙呀！上了中學之後，能靜心閱讀的時間是少之又少。不一定是因為課業壓縮了時間，而是當孩子成長，很大的概率會出現需要花更多時間追求的專長，像是我家原本小學時期沒事會抱著書啃的女兒們，現在則是一有課餘時間就畫圖。但我想，曾經有過喜歡閱讀的記憶不會消失，仍會在人生需要的時刻，伴隨著她們。

而家長們要是能在十幾歲之前，多費一點心思讓孩子盡量多閱讀，不僅能訓練閱讀力，好的故事也能不費力地將各種觀念傳達給孩子。

練出審美力

樂意陪女友逛街的男友，超加分；美感好、有品味的老公，超稀有。不過，這時得殘忍地說：「美感養成，才是真正必須贏在起跑點的事啊！」

問題來了！該怎麼做，才能養成懂審美的孩子呢？答案其實很簡單，簡單到只有兩個字，那就是「在乎」。

而所謂「在乎」又是什麼意思呢？指的是孩子成長過程的日常生活中，在視覺上的練習，練習對視覺和事物有更細膩的感知。

當家裡要粉刷牆壁，我們可以帶著孩子一起在乎：就算是白色油漆也有很多種選擇；當家裡要買一把削果皮刀，我們可以帶著孩子一起在乎：削果皮刀是否可以造型或是實用性都達標；當走在馬路上，我們可以問孩子：「這排房子哪一戶最好看？為什麼？」「覺得不好看的話，該怎麼變好看？」……

其實，養出審美力不需要花大錢送去學畫畫，只要和孩子一起在乎周遭事物的美感，就能讓孩子自然而然成為懂美的人，這是可以掛保證的事。

如果以上，爸媽們在日常中都已經能做到的話，那麼「看展覽」是個人大推的進階做法。

現在，無論是畫展、攝影展、設計展這些資訊都是很容易搜尋到的。孩子能不能完全看懂是其次，「試著去欣賞」才是關鍵。因為「審美」二字，重點其實並不在美，而是在「審」，這就是前面所說的「在乎」的更深一層。

爸媽們可以用對話帶領孩子試著更接近作品，像是：「猜猜畫面裡的人，在這個瞬間正發生什麼事呢？」「覺得最喜歡哪一個系列？哪一張最好看？」「如果由你來設計，怎樣才能做得更好呢？」

因為別人的創作結晶、別人的生命軌跡、別人的嘔心瀝血就算已經擺在眼前，孩子還是很難單靠自己進入狀況，得加諸一點外力，幫助孩子與作品連結。

寫這本書的這一年寒假，我帶孩子們來到梵蒂岡博物館。先了解館藏主題分佈，孩子們便能悠遊其中，盡情欣賞，發現有趣的也會互相通報。最後再一起直奔偉大的〈創世紀〉，一起仰著頭讚嘆米開朗基羅的天才無雙。能培養出鑑賞小達人，就等於多擁有一個知心的人生夥伴，能一起欣賞、體會世界的美。

回到這本書的男主角「兒子」，雖然還不能說兒子在美感上有多追求，但他目前已經從衣櫃裡永遠只拿最上面一件衣服，有穿就好的鋼鐵直男，成功進化到稍懂穿搭囉！

那天，我打開網購App，讓他為自己添幾件厚T恤。他認真地挑選了三件，一件藍色、一件灰色和一件綠色。買好後，他積極打開衣櫥，又選了三件褲子，喜孜孜地逐一拿起，說：「以後我星期一和星期四就穿小藍衣、星期二和星期五就穿小藍衣、星期三和星期六就穿小藍衣、星期天穿舊的，讚！」還比了個大拇指。

嗯……好吧，還是有待努力。

點綴創意力

創意，是不拘泥，更是一種轉念的能力，用不同的角度看待事物，在生活中盡情地靈活思考。在親子互動裡，若能加一點創意和孩子一起發揮想像力，設想更多可能性，那可是絕妙的點綴，如同南瓜湯裡的一小撮胡椒。

讓創意成為一種生活習慣，需要一點兒環境和一點兒鋪陳。

環境，指的是一個自由創作的空間。一個讓孩子能盡情挑戰、釋放精力、實現想像力的環境，但這要完全做到，對爸媽來說很有難度，我懂。

以兒子總是趁洗澡的時候在浴室玩水為例，老母我就非常困擾，每一次他的實驗性洗澡過後，浴室就像剛打完水仗，該濕的、不該濕的，都濕了。

我曾嚴肅地表示，這樣會造成下一個洗澡的人不便，但因為自己內心並沒有完全認同這項規矩，其實認為小孩在浴室玩玩水，不是什麼嚴重的事，以至於用詞不堅定，說法也不具說服力，導致兒子目前看來沒有要放棄這項娛樂的意思。於是時至今日，他仍繼續在浴室裡觀察水的浮力、表面張力、水流變化……每次洗完澡，浴室裡的物品，依然像遭到強力水柱驅離過。

鋪陳，是創意互動的升級版，白話來說就是「演很大」。這個部分雖然對我來說是必殺技，但由於個人性格氣質不同，還請自行斟酌使用。

舉個例子，由於兒子愛做菜，但小孩實在很難像熟練的主婦，有能力邊煮食邊收拾，所以每次主廚得意上菜，背後卻是被轟炸過的廚房，一片狼籍，慘不忍睹。這時，老母需要左手壓右手，外加捏大腿，讓（強迫）自己去欣賞孩

圖 /Yumi

子的執行力與願意付出的熱誠，先享受孩子用心製作的食物。

接著，在咀嚼的同時，動動我的小腦袋，想出最強烈、最能鼓舞人心的讚美詞，盛讚他的料理：「這是我吃過最好吃的牛肉炒飯了！」「這個壽喜燒，根本和外面賣的一模一樣啊！」「這簡直可以拿到米其林的一顆星了吧！」……。就算其實不夠美味，但一切都以維護總裁無價的內在驅力和自信心為最高指導原則！

這不是言不由衷，更不是謊言（就算是，我也不會承認的），而是他的每次盡力，有時候源自於你的熱血演出。父母或許覺得不是什麼了不得的事，卻可能是孩子用盡全力的嘗試與突破。

如今，我很高興從六、七歲開始入侵廚房的兒子，依然持續維持他愛做菜的興趣，也慢慢地可以從備料到善後一氣呵成（老母繼續捏大腿）。

腦，是個好東西

再提供一個自認為很棒的小撇步。

打從兒子很小的時候開始，當他遇到難解的問題跑來求救，我不會立刻接手幫忙。有時候會敲敲他的小腦袋瓜，說：「哇！是實心的！聲音聽起來裡面裝了很多好辦法。」

每當我稱讚或是羨慕他有顆好用的腦，小男孩就會很可愛地摸著腦袋歪頭想辦法。由於通常事情大多不是太難，他想出方法後，去執行的成功機率也非常高。於是，他對自己的聰明才智，雖然沒有到自信爆表的地步，但已經非常習慣且熱衷於獨立解決問題。

玩到無法使壞

曾經在一個訪談中，主持人好奇地問我，說她的兒子也是活蹦亂跳的雙子男，為什麼我家兒子就不太會給大人找麻煩？

我還真沒有認真思考過這個問題，想了一會兒，我說：「其實很簡單，就是讓超級瞎忙大王一路忙到掛就可以了。」要事先提醒的是，這裡說的忙，並不是父母期待孩子出人頭地、成龍成鳳的忙，是孩子真心有熱情的事要忙。

當然看到別人家品學兼優的模範生，還是會小小動搖幾秒，就像曾經看過的一句話說：「若遇到孩子的事，我也只是個自私又愛說空話的母親而已。」這時，我會告訴自己，別人家的小孩總是不會讓人失望，但我的孩子不是我的孩子、別人的孩子也不是我的孩子，我要打起精神！為了孩子，我要忍耐住自己的慾念與虛榮！（丟掉書本再撿回來）

其實，我們的忙法，也沒廢成怎樣。它們有二性三力（以為這樣寫比較有學問但並沒有）：必須具有創造性、體驗性，能表現學習力、行動力與執行力。

像是兒子蒐集了許多可以在家做的實驗，列好材料清單，去家附近的建材行、五金行或書局採購材料，然後動手做出來。此外烹飪也是他的興趣之一，食譜和做法都是自己上網找的，一次一次嘗試、失敗了就調整做法，成果都會記錄下來，只是苦了試吃大隊。出門玩，他也不太吵鬧，身邊都是新鮮事，他忙著看都來不及了……活潑小男生既然靜不下來，就來玩吧！小時候能盡情玩樂，應該是每個孩子的特權吧。此時不玩，更待何時？

又像是這年寒假，計劃帶孩子們到義大利玩。向孩子們公佈這件事後，兒子話不多說，立刻參照行程表，找到每個定點的位置。接著下載了一個零基礎學義大利語App，開始狂背「精選聊天必備五十詞」（又是一個企圖到義大利競選里長的節奏呀）。

「要不要挑戰一下，等一下我來考你十個。」我說。

當目標變有趣，當總裁聽見他最愛的關鍵字「挑戰」時，眼睛發射出「我一定可以！我超棒！」的（不知道哪來的）自信光芒。

「好喔！」他回完話，轉身埋頭在他從來沒體驗過的超繞舌新語言裡，展現出一種挫折與興奮交錯的自我學習氛圍。

這個時候，他還沒寫功課，還沒做所有放學返家應該做的事。「學這幾句義大利文哪有什麼用？」「應該先做明天要交的功課才對吧？」「學英文就沒這麼認真！」也許有些家長們會這樣說。但這個特殊的奮進時刻，真讓人捨不得打斷。

當兒子累積許多對學習產生衝勁的片段經驗，把握每次「這時候好想要學這個」的念頭，而且也認真去做了，就開始逐漸養成他對學習的熱情，對新事物的好奇。

男孩很忙

總是有辦法找到可以忙的事情的男孩，對於周圍關注的事情很多，還攝取了大量的冷知識。

這天早餐時，兒子在我旁邊呱啦呱啦……

「媽咪！妳知道糞金龜能舉起比自己重幾倍的東西嗎？」

「不知道！」

「四千一百四十一倍。」

「媽咪！妳知道獵豹比跑最快的人類還要快多少嗎？」

「不知道啦！」

「三倍。」

「媽咪！那妳知道如果虎甲蟲放大成獵豹的大小，跑得多快嗎？」

「吼～～直接講答案啦！」

「比獵豹快六倍。」

（以下省略數十「妳知道……嗎？」的照樣造句）

「媽咪……妳小時候都在做什麼呀？」最後他嘆了一口氣，一臉「孺媽不可教也」，只差沒說「妳怎麼什麼都不知道」。

沒啊，我小時候小百科、小小百科、大中小牛頓可是倒背如流啊！哪知道現在都用不上了。（知識太久沒有升級，已被時代淘汰的老母抱頭哭跑）

隨時有新想法，最不缺鬼點子

每天每天，我都要應付無窮無盡新知的出現。除了腦力，也因為兒子實在是過於精力旺盛，所以還得額外讓他補充許多體能活動。可以明顯地發現，身體活動足夠的男孩，情緒更為穩定，就算放學後先打球，再回家寫功課，效率也能很好。身體健康幾乎可以說等於心理健康，他們用身體力行來探索世界，一次又一次橫衝直撞時，會意識到自己的韌性和耐受性。

然而，為什麼我會發現這個「玩到無法搗蛋」的定理呢？因為兒子如果一整天用腦過度，就會頭痛，其實不僅體力有時盡，腦力也有時盡。一旦玩得太累，忘了節制時，身體就會馬上出現警訊。好像一個內建保險絲的小機器人，義無反顧地高速運轉後，只要察覺到超過身心負荷，就會自動斷線。孩子除了有媽媽的保護，自己也能長出保護機制。

人稱總裁的兒子，是事業做很大的雙子男，隨時有新想法，最不缺的就是鬼點子，只要安靜下來，通常就是睡著了。學校課業普普通通，從沒有為了爸媽的期待或是分數而讀書。自己跑去參加法語社團和球隊外，還跟美術老師很要好，約好午睡時間去做其他更有趣的勞作，把日子過得歲月吵鬧。

兒子並不是一個讓人看了會羨慕「哇！好優秀！」或是感嘆「要是我家小孩能這樣就好了！」的孩子。他自然地成為了自己，應付自己的生活，從做中學習，喜歡的多爭取一些，不喜歡的就偷懶一些。

我一向（很不正確導向地）認為，要孩子不斷地往更優秀前進，跟不斷地要女人更美麗一樣，是物化人類，就像是長達數十年的內在整形。如果一切已經流於包裝與表面，脫離追求美感或是成長學習的初衷，那是沒有必要的。

那天，學期名次公佈時，兒子是第二名。我沒什麼異議，只是好奇地問他：「你曾經有過要超越第一名同學的想法嗎？」

「沒有，他已經很努力了。」他聳聳肩回我。原來還有名次是留給努力人的說法啊！

「你跟第一名是好朋友嗎？」我又問，想知道小學生有沒有競爭的情結。

他說對，他們是挺要好的，「我們都會一起去射紙飛機喔！」

「像是今天，我就約他一起到頂樓……」他突然興奮地說：「把我們的獎狀折成紙飛機射下去，獎狀做的紙飛機可以飛很遠欸！」

圖 /Sammy

什麼！玩自己的獎狀就算了，誰說可以約人的啦！

5

不乖的乖孩子

「我為孩子留下一個能忤逆老母的空間。」

不是你的優越感，是他的存在感

這天下午，會議中突然接到總裁用兒童電子錶打來的電話。

他通常傳語音訊息，不太打電話的，應該是很重要的事吧。所以就算在不方便的情況下，我還是接了。請注意，這種手錶打來的電話，不知為何會自動擴音。

於是，他劈頭那句：「媽咪媽咪！我國語考九十四分哦！」讓在場的每個人都聽得一清二楚。

他顯然覺得自己考得很好，所以我也就順著他的話回他：「哦哦！好，很棒！」

在那瞬間我也想過，也許班上有十個考九十分以上，八個人考九十五分以上，然後有四個考一百分。但我沒細問，就這樣吧，我兒子在八歲那年，小三上學期的期中考，國語考了九十四分。

當場聽到電話的與會人士，內心OS可能有以下幾種吧：「這孩子也太重視成績了。」「媽媽一定給孩子很大的分數壓力。」「九十四分有很好嗎？值得特地打電話來報告？」「這種分數要是我家孩子就得皮痛了。」……

孩子的成就感在哪兒

在面對孩子的心態上，總有很多條路可以選擇。可以仔細地檢討該不該失分，錯了就是不夠用心。但說實話，我更喜歡不那麼小心、或許還懶得檢查就繳卷急著出去玩的孩子。可以糾正孩子的自滿，教導追求卓越的學習態度，但我更喜歡孩子自己負責課業、盡力或沒有盡力都好，最後接受結果。

親子關係中，終究看的不是老母喜歡什麼，而是孩子究竟想要藉由什麼來得到成就感。

這些，都不是老母該主導的事，孩子為成績好而開心，或是不為成績差而不開心，都不該控制或是強加價值觀。孩子有資格高興，也有立場挫折；有資格在意，也有立場不在乎。重要的是，孩子經歷過什麼、正在經歷什麼、孩子的能力在哪裡、成長學習的節奏又是怎樣。然而，要是沒有真正把焦點放在孩子身上，就拿起街坊琳琅滿目的學習成就評鑑表來對照，也許只能得到困惑和無力感。

還是拿成績為例子吧，就不僅僅有「不能讓孩子覺得成績是一切」和「不能告訴孩子成績不重要」兩種說法。這些說法都沒錯，但對孩子而言，也只是說法而已。

在兒子身上，我看到滿滿的競爭性。雖然我們的家庭是很純的創作家庭，平常不太需要與人交流，更不用談競爭了，只需要好好地把手上的事做好就行了。但總裁有好勝心，要是有做得不好的地方就會氣得眼眶紅。

這種競爭比較的行為，好似生存的本能。不只有比成績，孩子們的世界也比父母、比穿著、比放假時去哪裡玩……要是家長認同了某種不允許競爭的教育方式，讓生性積極求好的孩子失去著力點，我認為跟分數至上一樣，也是一種強制與剝奪。

通常，兒子考不好，或是拿出成績來「現」，我的做法是「不一定怎麼做」（這時候可能又要出現家長的態度要一致派的說法了，就說市面說法滿滿是啊）。為了避免過度把自己的期許和價值觀套在孩子的身上，又要同時做出合適的反應，我的台詞可能如下：

他沒考好，我問：「那現在不會的都會了嗎？」

他考得好，也問：「那現在不會的都會了嗎？」

他沒考好，看了題目覺得不容易，我說：「好難喔！媽咪來考可能都沒你好。」（不完全是在安慰小孩）

他考得好，我看了考卷說聲不錯喔，然後問：「對了！媽咪有買好吃的在冰箱，你要不要去看看？」讓他不要專注在得到我的稱讚。

互相學習，並肩而行

除了常見的成績問題，再以親子互動為例。

已經變成大人的我們，能夠搞清楚，有些人你惹不得，有些人能當朋友，有些人可以輕鬆相處。人與人之間，會不斷地檢視自己與他人的關係，不斷地前進或後退，不斷地協調，不斷地較勁。其實，親子關係也是一樣的。

我沒有把握，在和孩子朝夕相處的漫長時光中，能每次都成功化解衝突，能夠永遠保持和平穩定。於是我設立一種關係，是在心靈底層，互相成長、互相支持的關係。

因為兒子還沒長到這個階段，但我正朝這個方向去建構，故在此以大女兒為例。她喜歡畫圖，能力也明顯在這個部分。而我自己除了會畫圖外，也是專業的美術設計，所以平常和女兒有許多創作方面的交流，討論的氣氛幾乎像公司同事那樣。

不過，我倆經常發生一種狀況，當討論創作後沒多久，我一旦在過程中發現「孩子生活上的問題」，就會轉換成老母模式，比如，催她去睡覺，或提醒她事情的輕重緩急，青少女也如常地撇了嘴，翻了白眼，做足不耐煩的舉動。但過沒幾分鐘，可能又看她喜孜孜地捧著自己剛畫好的圖來給我看。

我想，這種相處模式，讓我們很難真正地吵翻鬧掰。因為某個部分，我是她心靈上更重要的支持，凌駕在日常的摩擦之上。當父母與孩子並肩而行，成為互相學習、共同成長的夥伴，那是一種很牢固的關係，推薦給大家。

後來發現，我家三傻之間的手足關係也遵循類似的模式。他們偶爾也鬥嘴吵架，但在很短的時間內，又能開開心心地一起計劃著什麼不讓媽媽知道的詭計，真是預料之外的驚喜呀！

老母不完美但真實

我們不是天生就懂得做母親，哪些是自己的價值觀？該不該為自己或孩子打下分數？如果一切加諸於孩子身上的行為，都能再思考一下，我想就可以解決大部分的問題。

所以，我也給自己一個角色。與自己的真實樣貌不悖離太遠，只是看要如何呈現而已。

像是，一個不完美且有很多缺陷的媽媽、一個會做錯事但也會反省的媽媽、一個努力追求自己夢想的媽媽、一個樂於和孩子交流討論的媽媽……

這些，都隱含著「我是一個普通的媽媽」、「我不是一個『很會』的媽媽」。這裡並不是在暗示，我認為自己是個完美的媽媽，但我得假裝不完美。而是讓兒子知道老母的弱項，並且不要對女性存有不切實際的想像。誠實地表現出自己無能為力的時候、難過不安的時候、頹廢發懶的時候，但也會讓孩子們看到自己如何度過一切。

現在，當老母忙不過來，會讓兒子幫忙煮簡單的一餐。家裡若有東西故障壞掉，會先請兒子設法修理。趕書的時候告訴兒子，老媽近來壓力大，然後他會給我很多愛的抱抱……

決定權，讓他更自愛

有一年，我們全家到東京玩。當時女兒們分別是五歲和八歲，兒子兩歲。因為是自由行，想去哪就去哪，其中一天，我們意外發現東京國立新美術館正好有雷諾瓦特展，於是決定衝了。

搭乘不熟悉的大眾運輸，一路曲折地來到美術館，有一點狼狽地買票進場。經過入口處，先寄放包包，工作人員看見幼小的兒子，有點遲疑，但最後還是望向我，說：「妳有信心可以管好孩子，不讓他影響其他觀眾嗎？」

我堅定地回望工作人員，點點頭說：「我可以。」

進入展廳內，我對孩子說話時，會湊近耳朵用氣音說話，並叮嚀他們不要越過畫作前標示在地上的界線。

展品豐富，一時半刻看不完，中途我帶著孩子到角落的洗手間。這時，兒子扯扯我的衣角，示意我彎下腰。然後他用小小的手掌，圍著我的一側耳朵，小心翼翼地用氣音說：「可以說話了嗎？」

當下我差點爆笑出聲，但同時，又有點驕傲，因為相信孩子，所以我們一起完成了一項壯舉。

成功地看完無比精采的展覽，親子盡歡，非常值得。我們聊著剛看的畫作，步出美術館。走著走著，兒子卻突然定住了，站在原地躊躇不前，我們回頭喊他快走。只見他無辜地指著地上的線，那是路面上的交通標示線，說：「可以過去嗎？」

一夥人笑瘋了，他會不會被制約得太徹底了呀！

孩子有一種不會，是媽媽覺得不會

還記得另一回，我帶孩子們到澳洲玩，在布里斯本海關遇到一件改變我觀念的事。

以往，要是海關看見一個老母拖著三隻小娃，都會讓媽媽帶著孩子們一同通關。這次，澳洲海關居然不一樣。

海關人員牽起兒子，示意我站在等候線。我見狀，急著跟海關說，兒子還不太會說英文。然而，海關人員眼神堅定，對我說：「他可以，讓他試試。」一接著就牽著兒子去辦理過關。

遠遠地，只見小小的兒子，連櫃檯都搆不到，一下子點頭、小手比劃幾下，就順利地通關了。

他在出口回頭，向我開心地揮手。他成功了！他成功了！

原來，孩子有一種不會，是媽媽覺得不會。

我們總是期待孩子能自律自愛自動自發，但是否得先問問自己，我們有沒有真的把他們當人看了呢？

「當人看」說起來理所當然，其實真正做到並不容易，那是一種信任和尊重。當還不成熟的孩子呈現出不那麼令人放心的狀態時，父母是否能繼續相信孩子？

兒子放學後不去安親班，這是他自己要求的。

因為總裁平日業務繁忙，放學後仍有許多事要做，木工事業的接單、製作和出貨，實驗主題的研究與執行。（好吧，其實看起來就是在瞎忙。）有時候天氣好，他還會希望能在天黑前去公園玩一會兒。偶爾心血來潮，會計劃為全家人煮晚飯，這樣得放學後就開始買菜備料。

好吧，我能認同他曾說的「我的生活模式不適合去安親班」。但接下來呢？

這個決定將會養成自律、懂得安排時間的孩子？還是把麻煩（也就是兒子本人）帶進家裡？

如今，經過幾年的磨合學習，兒子雖然偶爾還是會因為忍不住把更有興趣的事排在前面，導致沒有在約定好的時間做好所有的事，但頻率已經十分低，就算發生了也能好好補救。

老母安親班

寫到這兒，不得不提一下我家的「老母安親班」。（不是招生廣告）

其實，我家三隻都曾經待過坊間安親班，然後各自在小三到小五之間停止去安親班。當然每個家庭都有自己的狀態與需求，我就說說自家的吧。

長女的幼兒園有銜接國小安親，所以當時老母沒多想，她自然就接著安親了。題外話，雖然依照我家的生活型態，好像千不該萬不該把小孩送安親，也聽過無數次「妳不是沒有上班嗎」，但我還是坦然地報名了（在家工作也是很忙的好嗎）。

說真的，的確有安到親，老師完全能掌握孩子學校學科的學習狀況。當孩子偶爾將沒寫完的作業帶回家寫，老母覺得字寫得有點特色也沒關係，於是寬鬆放行。結果是，小孩隔天哭著回家，一臉埋怨地說：「媽咪，妳都不會看功課！」

所以我一直認為，安親班的專業給予老母莫大的幫助，減少許多親子衝突（同時也大大降低孩子發現老母不足的機會），術業有專攻，功課交給老師，小孩回家就是專心玩，很讚！

只是，好日子沒過多久（欸不是），長女升小五的那個暑假，她突然自行決定開學後不去安親班了。我沒有先反對，震驚之餘要她給個說法。

「國中還有安親班嗎？」她問。

我想了想，回答：「沒有吧？應該就是各科補習班。」

「國小都在安親班，國中很難不補習吧？我想我應該開始練習自己讀書了。」當下她未雨綢繆的說法，意外地成功說服了老母，然後她就一路混日子到現在，都沒什麼在讀書，哈哈哈！（笑著笑著就哭了）

因為長女，我學到了許多事（應該是每個孩子都給了老母不同的必修課）。寶包時期的高度照護，很可能有意無意間，延續到長大變成了控制。什麼時間點該真正尊重孩子的選擇，忍住心中「覺得比較好」、「都是為你好」的想法，練習逐漸降低控制，慢慢讓孩子去負責自己人生的好壞起落。

這裡，得幫長女平反的是，經過幾年的陣痛期。她也許沒有維持所謂學科上的競爭力，但是她靠自己長成一個很知道自己要往哪去，也持續為夢想努力的人。

所以後來，當弟弟妹妹也接連提出不去安親的想法，老母只覺得：「喔喔！時候又到了嗎？不怕不怕這個橋段我有經驗。」（一臉見多識廣）

現在，兒子放學就是直接回家，自行安排時間：先去公園玩到「天這麼黑，風這麼大，小孩為什麼還不回家」，我不管；作業睡前才在趕，甚至留到隔天早上早起寫，老母也沒在管。直到最近的某一天，兒子一大清早穿戴整齊，衝出門之前，我攔住他問：「為什麼要這麼早去學校？」

他焦急地說：「我有一個作業放在學校，要趕快去寫，不然會被扣三十朵小花！」

聽完，老母本人覺得十分欣慰，這也是一種負責任的表現吧？（並不是）

後來，雖然老母安親班的教學，因為班主任的數學程度只有小五，而顯得專業度不足，招生業績也一直維持在一名學童，但所幸唯一的學童目前仍然很爭氣地不斷進步中。

後來，兒子歷經過像是整個暑假不寫作業，開學前兩天才哭著趕的種種事件，但老母還是願意相信孩子，再給兒子無限次機會，畢竟總裁是做大事的人，學會自律是一定要的。追本屆的世界杯足球賽時，兒子要求熬夜看決賽直播，並承諾隔天絕對不會賴床，我同意了。他看到半夜兩點多才去睡，結果隔天依約準時起床。於是我更加肯定，相信，才會迎來自律、自愛的孩子。

圖 /Sammy

萬用頂嘴句型

如果問，我家兒子乖不乖？

我沒有肯定的答案，但他甚至還研發了「萬用頂嘴句型」呢！

句型一：這是兩件事

原本兒子放學後，會去家巷口的小公園跑跳、打羽球、玩扯鈴，天黑前就會回家，通常晚飯前就會把功課解決。

後來他的行動範圍逐漸擴張，有時去遠一點的公園踢足球，有時到附近國小打籃球，返家時間便愈來愈晚。

回家洗完澡，通常很餓了，吃完晚飯，手足間玩耍，讀閒書後，離該上床的時間常常只剩幾十分鐘，作業卻還剩一大截，惡性循環之下，眼看老母安親班就要名存實亡……

於是這天，當兒子又丟下書包，扛著球袋準備出門時，我攔下他，說：「你要不要先寫作業？最近作業都是睡前才在趕……」

兒子回頭，一臉不認同：「所以妳覺得運動不好嗎？」呃……小子什麼時候學到這種回話方式的？

但老母哪這麼輕易被呼嚨，回他說：「『這是兩件事』，先寫作業和運動不衝突。」

我以為他會繼續辯駁，但沒有，他嘴裡默唸著：「……嗯嗯……是兩件事……」走出了家門。

你沒看錯，他最後還是出門玩了，而且自此之後，老母和兒子的對話中，便充斥著這類句型：

「欸你英文不是還不錯嗎？為什麼會錯這麼多？」我指著英文期末考試卷問他。

「我只是單字後面不小心加了句號被扣分……」他忿忿不平地說：「會不會，跟考得好不好『這是兩件事』！」

「你做木工不是已經很熟練了嗎？為什麼還弄得這麼亂呀？」我抱怨兒子施工現場的混亂。

他一腳踩著木板，頭也沒抬地繼續鋸著，說：「很熟練跟會不會弄亂『這是兩件事』。」

「房間好亂啊！你不是挺愛乾淨的嗎？」兒子其實有點潔癖，房間這時卻亂成一團，所以我問。

兒子聳了聳肩膀，說：「乾不乾淨跟亂不亂『這是兩件事』。」

句型二：這是你的說法

一天，兒子問我：「媽咪妳覺得我這次期中考一定要考得很好嗎？」

我沒有遲疑，回得理所當然：「當然囉！」一種明知道小孩不會認同就愈要這樣說的節奏。

「『這是你的說法』！」兒子說。

「趕快吃飯！吃太久了！」覺得孩子吃飯時間拖太久時我說。

兒子：「『這是你的說法』！」

「很晚了，該睡囉！」

兒子：「『這是你的說法』！」

萬用頂嘴金句

#這是兩件事

#這是你的說法

允許頂嘴之必要

為什麼說「允許頂嘴」是一件必要的事呢？

我認為這是給孩子一個縫隙或說漏洞，在人生的關鍵時刻有機會擇「自我」固執，或是與父母的期待相左時，也能敢於突破。簡單來說，我為孩子留下一個能忤逆老母的空間。

人，是唯一一種會思考自身價值，思考「我是誰、我該成為什麼」的動物。孩子從出生開始，直到遇見第一個人生方向的抉擇，雖然口語上經常無法說服大人，但對自己的認識，絕不會比其他人少。

眼前堅持己見的孩子，是自己一點一滴捏大的，平常傻乎乎地過日子，哪來的判斷力呢？身為父母，尤其是「厲害的」父母，更難相信孩子有足夠的判斷力。其實身邊也不乏真實案例，幾乎就像戲劇裡的控制狂父母，操控著孩子的人生。

但我想，就算是再有智慧、再有成就、再受人尊崇的父母，依然存在著「錯估率」吧。也實在不明白，他們究竟哪來的自信，認為自己的判斷能完美因應未來的世界呢？我很感謝，自己在人生的轉捩點時，我的父母當時可能沒多大心力去阻止，也許真的有那麼一點尊重，允許我選擇自己的方向。

其實，在這個社會上，有很多事情都存在著一時的風氣，教養也是。市面上充斥著各種當下所謂最正確的方法，每一種都在告訴你：你做得不夠好，你應該做得更好、更正確。希望為人家長的我們可以獨立思考，並提醒自己，別無意識地被大環境的主流說法所影響。而要自問，怎麼樣的孩子，是好孩子？人生的抉擇、家庭的期待、社會的價值觀，你想要符合多少呢？想要孩子服從多少呢？

我不知道兒子算不算乖，如果算，那麼這個「乖」，便不是聽話或順從的乖，而是很少與我有衝突的乖。

家長們經常困惑，不明白孩子為什麼就是非要叛逆、頂嘴、不講理。其實，我不太相信有孩子是天生愛叛逆、愛惹人生氣，甚至樂於被討厭。關鍵點應該是，孩子有沒有「需要叛逆」的環境。

在這世界上，有哪一個孩子是百分之百乖的呢？認識自我和世界的過程，本身就會經過很多掙扎、碰撞與衝突。不乖，是成長，更是學習。

然而近年，「乖」這個字，也有被汙名化的現象。其實「乖」，不等於沒有想法、不等於聽話、不等於被壓抑、不等於失去自我、不等於不懂得為自己發聲。有時候孩子能在適當的時候，做適當的事，不為叛逆而叛逆，是他們受到尊重與被信任的表現，所以也想體貼他人。

如果要我下一個結論，想養出乖還是不乖的孩子。

我會說：讓我們養出不乖的乖孩子吧。

合夥式親子關係

「合夥式親子關係」又稱「共同成長的親子關係」，也叫「親子共贏的關係」，或俗稱「家庭中的 BFF 關係」（Best Friends Forever），實務上也叫做「工作室式親子關係」。

這是一種新型態的親子相處模式，父母和孩子之間的關係平等，基於尊重與信任，並強調互動和共同合作。在合夥式親子關係中，父母通常會給予孩子足夠的自主權，讓他們可以參與家庭事務，甚至家庭事業的決策過程。除了幫助孩子發掘才能和興趣、提供必要的資源和支持、協助孩子實現自己的目標和夢想外，也會鼓勵孩子表達自己的想法和感受，並尊重孩子的選擇。簡單來說，具有凝聚力的合夥式親子關係，能夠讓親子不只是親子，更是彼此的超級戰隊。

好了！以上一半瞎掰，一半真實，卻的確是我想追求的親子關係。

像是一起創業的夥伴

因為在家工作，而居家空間有限的關係，工作與家庭生活很難清楚地區隔。所以經過多年的演進，現今家裡最常見的情景是，家庭成員各窩一處，各忙各的，偶爾自然地互動，分享有趣的事，討論創作上遇到的問題，雖然有點吵雜，但活力十足，親密又健康。

孩子們在家的時間，隨時找得到人對話，無論是手足或父母，都像一起創業的夥伴或是坐在隔壁的同事一般，轉個頭就能商量，且經常能夠感受到自己的參與成果和貢獻價值。過程中當然也有遇到爭執或衝突的時候，但也因為緊密的交流，短時間就能回歸融洽。

圖 /Yumi

我在幾樓？

這天在「家庭工作室」裡，孩子們提出一個有趣的問題，他們要我以「樓層」來評價自己在創作領域的地位，一共五樓，樓層愈高則地位愈高。而身為一個不是太容易自我肯定的成年人，我誠實給出的答案是：「大概在二樓往三樓的階梯，第六階上下吧。」

接著，孩子也都說出自己的目標，一個個不是在五樓，就是在閣樓，還有頂樓加蓋的。我聽了不以為然，而順便酸一下小孩是生母日常必須做的，我說：「拜託喔！錯字一堆，哪來的自信，呵呵呵～」

這時，孩子竟不以為意，撇撇嘴說：「哎呦！做了這麼久的書，妳不知道編輯會校稿嗎？」

不囉唆，也不完美

我們都知道，在真實人生中，跟誰在一起是很重要的。這些身邊的人，是怠惰還是勤奮、是正向還是憤世、是虛偽還是正直、是消沉還是積極、是平庸還是有智慧呢？人可以在社會上或人群中選擇與誰為伍，卻無法選擇出身，甚至可以說，很難選擇家人帶給自己的影響，家庭幾乎能決定一個人成長的軌跡。我認為正因為如此無奈，所以更應該留意身教，或者利用身教和家庭環境的力量。「學最好的別人，做最好的自己」，意思是發現他人的優點，轉化成自己的長處。一般來說不太容易，但如果這個「別人」是父母，就變得發乎自然，容易很多了。

一樣以我家為例，雖然沒有刻意培養孩子美術相關的興趣或技能，但三個孩子都不約而同，長成偏好藝術的類型。沒有經過引導，但他們平日的興趣之一都是畫圖，連旅行途中的解悶方式也是畫圖，甚至想法的輸出方式也經常選擇使用圖像。

這種潛移默化的神效，說是溫水煮青蛙也不為過了。而「默化」與「煮」，都不必透過言語，是一種有效的影響力。語言學家主張，人類的專注力其實很有限，一般成人的專注力，甚至不到二十分鐘，更何況是孩子，又更何況是活蹦亂跳的男孩呢。

難怪小說家馬克．吐溫會說：「說教超過二十分鐘，連罪人都會選擇放棄被救贖。」

「合夥式親子關係」中，最不能出現的角色就是「囉唆老媽」（有時候也會是老爸）了。所以，如果爸媽們不想被貼標籤，不妨做些改變。尊重與關心，是為對方打開眼睛與耳朵，人類最深的情感，也往往藏在沉默之中。在這個指正過剩的時代，親子間更應該避免太多缺乏密度的廢話。（當然，如果有爸媽每次都能在二十分鐘內，植入人心，我只好佩服）

這樣說來，父母最好什麼事都不做，乾脆擺爛嗎？當然不是啦。

其實我們都知道，對於孩子的漫長人生與變幻莫測的未來，父母永遠是鞭長莫及的。清楚自己的有所不能，自然不會想要操控；揭露真實面的過程，雖然有點痛苦，但有益身心。

我們可以變得跟孩子一樣充滿活力與好奇，但不要勉強；也可以給予關心，但只要把意思說清楚就好；更不用傾全力成為一個完美媽媽或人人稱讚的模範媽媽。如果算起來，我當媽十幾年，在老母界頂多是國中生程度而已，只要基本能從錯中自省，就可以大搖大擺地住進媽媽新手村。最神奇的是，當妳變懶，全世界都會堅強起來。

老母的職責

終於，一本遊戲書的製作告一段落，準備印刷，從趕稿地獄中爬起來的老母，可以稍微休息一下了。

進入廢人模式意外簡單，就是吃吃喝喝加追劇。火速補完進度後，又開了實境節目來看：房仲家族。我喜歡這個影集，有賞心悅目的房屋，再配合一點劇情。主線是在描述一個法國家庭，全家一起經營豪宅房仲事業。角色介紹時，出現一個十多歲的孩子，因為辦公室就是家裡的客廳，所以耳濡目染之下，他也學到許多。

「他們（家人）說了很多，所以我什麼都知道……」訪談時他這樣說，「如果我想加入公司，我馬上就能上線。」看完好幾集後，最記得的就是這段話。

於是我想著，是否也應該把一些東西教給自己的孩子呢？既然沒有優秀基因，更沒有萬貫家產，至少傳授一些技能，也算盡了老母的職責吧？所以趁著某天晚飯席間，跟三隻講講，做一本書，從故事的發想，到成書出版的基本過程，自認為稱得上是職人親授了。

盡力說得仔細，偶爾還配合手邊教材，有條有理不至於無聊，但孩子們卻聽得一臉乏味。最後我疑惑地問：「你們覺得不有趣，不想知道這些嗎？」

長女聳聳肩，說：「接下來就是給責編阿姨校稿、打樣、回樣、印刷、看樣書……」

這時次女插嘴，指著做為範本的書封說：「這本不是要局部上光嗎？」

「呃，對……」

「喔對了！」前幾分鐘還吵著沒吃飽的兒子，這時想起什麼似地說：「我發現妳圖裡還有一個小錯誤，等妳不會因為已經完稿了又要改，然後崩潰，我再跟妳說哦！」……（尷尬又不失禮貌的微笑）

好喔！為娘的已經沒什麼可以教你們的了。（一把推出鳥巢）

6 可恥但有用，鼓勵生出耐挫力

「去衝吧！
媽媽會在這裡支持你！」

看到缺點怎麼辦？

看到缺點怎麼辦？當做沒看到啊！（誤）

但小男孩很需要被肯定！這是養了兒子以後，很快就能察覺的事。我們身為賦予孩子生命的父母，是清楚孩子的優點，還是更能細數孩子的缺點呢？

老母說的話

在我的原生家庭中，「稱讚」是極度稀缺的。這樣的狀況，常常被解讀成「那個年代的父母不懂得表達」或是「父母自己小時候也沒有這些經驗」等等。後來，當我有了自己的孩子，才發現這種說詞也許只是體諒，卻不一定誠實。人只要有基本的同理，多少就能推敲出什麼方式對關係是有益的。不懂得表達，是成年人自己的問題，不應該由孩子來承擔。而自己的缺憾，也可以在孩子身上做改變。

我的父親曾經這樣說過：「不需要講優點，指出缺點，然後改進就可以了。」以為表面上「改進缺點」，事情就會往更好的方向吧。但實際上，要是指出缺點，就能愈趨完美，世上哪有這種耍耍嘴皮子就好的事呢？於是後來的我，失去某種自我肯定的能力，也難以輸入肯定的聲音。

成長過程中，建立信心多不容易，千萬不要拿瑣碎的缺點，去打擊正在努力建立自身認知的人。老是被挑剔問題，孩子將在漫長的人生旅程中，走得更辛苦喔！（威脅口氣）

對於我家兒子，老母不用做得太殘酷，只要稍微流露出一絲否定，他就會一臉受傷，用一副小小心靈遭受無情暴擊的表情，痛心疾首地說：「真的這麼不好嗎？」之後再怎麼解釋都沒有用。這樣的情形，與孩子是不是有顆玻璃心無關。男孩平常跟其他人吵架，「你是笨蛋！」「你才是笨蛋！你全家都笨蛋！」可是嗆得理直氣壯、毫不退縮的。但要是出自媽媽的嘴裡，評價就帶有無比強大的力量，一定要審慎斟酌。

親子關係中，如果有太多的糾錯，自然會變成上對下的關係。建議大家，可以當導護老師，就不要當糾察隊。我的做法是，不去糾正那些無傷大雅、遲早會的事和「似非而是」的缺點，只要達到最基本的原則，就不再干涉或限制。也避免強調那些傳統對男孩子的期待，像是要勇敢、不能哭、男子漢應該如何如何……更不要去針對、強調、糾正那些孩子身心發展上還做不到的事，這樣很殘忍。

大家都知道，要是跟一個成年男人說：「喂！你行不行啊！」就算不立刻被翻桌，也可能會被視為仇敵。其實小小男人也一樣，也許小小的他還不會說，但已經因為大人傳達出來的「你不行」，感到受傷。在還無法斷奶的時候強迫斷奶，還走不穩的時候訓練走穩，還不會控制尿尿的時候，硬是要戒掉尿片……也許大人沒有用非常強烈的手段執行，但過程中，就是不斷地在提醒孩子，你怎麼還學不會，你不行。尤其是生理上的事情，那隱含的批評，如同人身攻擊般的傷人。

所以總裁不曾戒過母奶，一路喝到三歲半自然離乳。沒有強制戒尿布，一路包到五歲時出國玩，在長途飛機上擔心自己尿下去，還要求包尿布，最後再三叮嚀我幫他保密。學數數時，總是數「1、2、4、5、8、9、10」也不特意糾正……一切就等他的身心都準備好，自然改變。

那些嚴肅糾正，就用在影響品德的事，留給真正關乎安全的事，至於那些芝麻小錯，就讓它隨風而逝吧（揮揮絲巾）！過多的「糾錯」，太多「你做不好」的暗示，養不出一個自信勇敢的孩子。

有缺點，有優點

如果小孩已經不是小小孩，更是不能對他下達超乎所能的要求。想要進步、想要求好，是人的本能，當孩子各方面準備好、蓄積好足夠的能量，是不可能隱而不發的。兒子天生就會跟自己較勁，其他人就別再跟他較勁了吧。

我們能做的，不是把老母超凡（煩）的觀察力用在找出缺點，佐以所謂激勵（壓力），而是給孩子溫暖，讓他知道，去衝吧！媽媽會在這裡支持你！

舉個例子，總裁其實並不算是個愛閱讀的孩子（希望不要影響投資人的信心，XDD）。我提供給兒子適齡的有趣好書，以為會按照往例，再養出一隻小書蟲，期待兒子跟女兒們一樣，徜徉在書的世界裡。但沒有，結果出乎我的預期，所有的故事，都變成總裁日理萬機後的睡前故事，一碰到有劇情的文字，不消幾分鐘就可以聽到鼾聲。

老母驚嚇之餘，才發現兒子並不是所有的書都不喜歡，他對科普類書籍還是相當感興趣的，舉凡類似：恐怖動物大百科、神祕的海底世界、宇宙探索百科……都是他的菜。只要家裡出現這類書籍，他就會立刻一口氣讀完，孜孜不倦、手不釋卷的精神，跟讀故事簡直是天差地別。所以，我便讓他從喜歡的書系開始讀起，不強迫看文學類或故事類，讓那些「閱讀偏食」不好的說法，左耳進、右耳出，這個我擅長。（再次揮揮絲巾）

個人認為，當讀書等於痛苦，只會害小孩變笨而已。而總裁因為能開心自在地讀喜歡的書，閱讀能力提升，意外的是，原本比數學成績差一些的國語成績，也自然地進步了，後來他甚至開始偶爾會主動去拿非科普知識類的書籍來讀。

一個亟欲裝進知識的人，我們會說他求知慾強。但，他也許寧可用其他多元的搜尋工具來快速獲取訊息，看各種影片來攝取知識，卻不喜歡閱讀。重要的不是直觀地讓孩子變成父母認為比較好的樣子，那就像是要求一個細心的人，不要鑽牛角尖；要求一個不拘小節的人，不要粗枝大葉。以為改善了缺點，實際上，恐怕兩敗俱傷，很可能連原本的優點也同步被消滅了。應該做的是看見、接納、揉合各種元素，順應特質，讓整體走往好的方向。

找到神隊友就夠了

有一回，跟好友A和B聊天，他們兩個是很有默契的合作夥伴。聊到到每個人的能力，該如何在早期養成。朋友A說自己是個實際派，善於規劃，但思維比較保守，也缺乏創意。

朋友B則說自己是個夢想派、很多點子，但穩定性低、也缺乏計劃……所幸後來遇到朋友A。

說到這裡，話題居然急轉直下，我們一起拍手，說：「哎呀！原來找到神隊友就解決了！」接著開玩笑說，那些早期要養成的，不屬於自己特質範圍裡的能力，其實就別忙了，只要找到可以補足自己的「神隊友」就可以啦。雖然，這段談話有點廢、有點搞笑，但也說對了一件事。那些被費盡心力「糾正」出來的人，真的就會成為更好的人嗎？

使出驅動大法——相信、鼓勵、對話

總裁固然內在動能十足，但就算在孩子的世界，挫折也是常有的事。所以，如何驅動兒子整頓軍心，繼續前進，成為養兒子後，最新練就的技能。久而久之，發現那樣有點像陣前將軍對著小兵喊話：「前方的事很值得挑戰啊！成功在望，失敗也是勳章！」然後拍拍他，為他加油打氣，然後衝啊～～

給男孩一個挑戰的可能性

一天週日下午，兩個姐姐在上線上課，我們約好下課一起去公園玩。但是太想釋放體力的兒子吵著想先去，甚至思緒上早已經飛到公園拉不回來。這不行啊，一來姐姐們會喊不公平，二來兒子的功課還沒寫完，玩完如果又去其他地方，一定會重演作業趕不完的悲劇。可是同時，老母也能預想，若是讓兒子一直吵吵吵，吵到姐姐們下課，然後再出去玩，玩完回來餓了吃飯，吃飽飯也都睏了，到時再來趕作業也一樣悲慘。但是，直接拒絕兒子，他是無法接受的。

於是，我把兒子摟過來，用一種講故事的口吻，對他說：「來，我們一起想想看喔！現在距離姐姐她們下課還有四十分鐘，如果馬上開始拚作業，要是能在四十分鐘內飆完作業，那你真的是太強了不是嗎！說不定寫完剛好姐姐下課，我們就可以衝了！開心玩的時候，心裡也不用記著還有作業。怎麼樣，要不要挑戰看看？我覺得整個松山區的小朋友能做到的，應該沒幾個喔～」口氣討論中帶著鼓勵，眼神期待中帶著崇拜，還捏了捏他的肩膀，附帶拍兩下屁股。

這整套說法，成功地讓兒子不再執著於公園，轉身以堅毅的神情、打怪的精神開始寫作業。經過他身邊時我還加碼：「如果能在短時間寫得又快又好，天兒啊！那就太無敵了！」頓時，總裁簡直化身寫作業界的飆風戰士。

沒錯，老母我經常就是用這種方式得逞的。別以為這是治標不治本的爛招，其實這做法，間接提升了孩子在急迫狀態下，處理事情的抗壓性與執行力。給小男孩一個挑戰的可能性，當要求變得有點刺激，一切就不一樣了。可恥但有用，提供給需要的朋友們不要客氣。

媽媽是孩子的第一個老師，更是兒子的第一個啦啦隊。老母對兒子有如腦粉的信心，可以造就兒子對成功的渴望。有個關鍵是，當他鎩羽而歸，要給他完整的鼓勵，包括實質上與心靈上的，讓他把失敗看作經驗。

用對話、用支持，穩定孩子的心

另一個例子。兒子因為前一學期的體能測驗表現不錯，被選入學校的巧固球隊。雖然老母一直都聽不太懂相關細節，但從兒子經常的敘述中，隱約了解巧固球是一項重視規則，並非常講究球員默契與技巧的一種球類活動。（哪種不是？）

兒子每週三天的早上和中午都要訓練，練習日的早上得比平常提前四十分鐘出門。我想，對於平日週間怎麼樣都睡不飽的小孩來說，一定是滿辛苦的。

但神奇的是，這名新進巧固球隊隊員，只要隔天是訓練日，他一定會設好鬧鐘。當鬧鐘響起時，就算再痛苦，他也能慢慢蠕動著讓自己甦醒，無比掙扎地爬下床梳洗。他可不是一個不會賴床的孩子啊，這讓我看到孩子對於團體紀律，有自己的標準。（下一個讓男孩自動彈跳起床的事情，會不會是和女生約會？）

球隊訓練嚴格，據說教練很兇。這天放學回家，菜鳥球員一臉凝重，於是我知道，輪到他了。陪他聊了一下，他說自己做錯了某個傳球動作，問題是，他並不知道錯在哪裡，該怎麼改進。導致重複犯錯，被教練狠狠罵了兩次，「我差一點就哭了。」他難過地說完，眼眶又紅了。老母可以想見他當時內心有多驚嚇，平常他幾乎沒有被大聲責罵的經驗，更何況是當眾指責。

我先抱抱他，給他力量，再用他認知能理解的方式跟他說。似乎體育類的訓練，運動員都不會有太溫柔的待遇？當然我是反對太過激烈、近乎暴力的所謂魔鬼訓練。但競賽類的訓練，也許因為最終是要上場廝殺的，所以教練看到問題時，用強烈的方式讓隊員謹記，有時候是一種必要的手段？只要不是針對性的惡意攻擊，我們是不是在合理的程度上，把這種嚴格的訓練方式當成「不怕被大聲說話的練習」？

「教練對每個人都這樣嗎?」我問。他點點頭。

我接著說:「但是這樣被罵下去也不是辦法吧?」

他想了一下,回我說:「明天也要訓練,我再想想該怎麼辦。」

隔天放學,我特意等在門口,看到兒子一如往常地蹦跳進家門。他放下書包,洗好手,然後急著跑來找我,說今天自己掙扎了多久,如何在內心拔河,終於決定鼓起勇氣去找很兇的教練,問自己錯在哪裡。

他還解釋了「掙扎」這件事。兒子說,在他短短幾年的人生經驗裡,只要是設想過的事情,就絕對不會發生。我聽完秒懂,這種衰鬼人設,跟老母其實如出一轍。面對困難之前,往往因為太害怕,總會事先模擬假設多種狀況、各種可能的排列組合。而通常,想過的,便不會發生。所以可以想見,他在去找教練之前,是一個如何想像力大量噴發的自救過程。

「然後呢?有被教練罵嗎?」我問。

他噗嗤笑了出來,說:「沒有被罵!而且做錯的地方也不是我想的那樣,哈哈哈……」

後來，菜鳥球員漸入佳境，慢慢不太被罵了，也或許是更耐罵了（XD）。那是一次美好的升級，突破心魔是最大的收穫。每一個事件的發生，都讓我們更了解自己，可以怎麼做，有能力怎麼做。我們也能趁機跟孩子並肩同行一段，用對話、用支持，穩定孩子的心，一步一步，建立孩子的信心，以面對有點殘酷的真實世界。

美好的事物，人生的意義

很多人說「小男孩太頑皮」、「小男孩不好帶」。

記得有一句話是這樣說的：「害怕他，不如加入他。」（大錯！）

還有一句話是這樣說的：「一杯酒不能解決的，就喝第二杯。」（大錯特錯！）

守護的存在

我家的小男孩，和各家的小男孩一樣，會激動失控，會情緒暴走。但老母養出來的兒子，要得懂得人生的意義，能感受美好的事物。因為我們可以跟孩子一起體驗世界，一點一滴地，讓孩子期待這人生的長河。

男孩是身體力行地去碰撞，才能得到經驗的生物。再以兒子玩木工為例，媽媽能做的，不是緊張兮兮地警告，而是為自己，也為孩子做好準備。這對每位慈母來說，都是一件很艱難的學習，要克制自己的擔憂，放手讓孩子嘗試，讓孩子獲取經驗。並且在不過度警告的前提之下，教育孩子動作與工具的危險性。接著，孩子會歷經很多失敗，學習如何靈活地找方法解決困難，克服心理的挫折。我們的角色是個支持守護，但是不干預、不責怪的克己存在。

我們母子二人，一起反覆經歷了這樣的過程。如今的總裁，善於事前規劃、懂得保護自己，遇到難題也經常能正面無懼地設法化解。附帶一提的是，其實兒子功課一直顧得不錯，不是說他多用功、多聰明、多優秀（老母故作謙虛是必須的）。相反地，他最愛的就是玩，玩樂至上。

但是我發現，課業之所以對他來說不是困難事，那是他已經在玩耍中，學習到克服困難的心態或方法，並且運用在學業上了。我必須坦承，兒子後來為了有更多時間可以玩樂，才導致應付功課的能力變得愈趨強大。（摀臉）

回顧事件，重塑結果

有了對解決難題的經驗與信心之後，我們可以帶著孩子一起「回顧事件」。因為，也許對一個一歲的男孩來說，想吃的點心被其他人一口吞掉，是合理要崩潰大哭的。也許對一個四歲的男孩來說，平常一起玩的同伴，有一天不跟他玩，就是天要塌下的挫折。也許對一個國小四年級的男孩來說，數學作業忘了先乘除後加減，導致整份要擦掉重寫，結果，男孩哭著先去洗澡，冷靜再回頭寫……沒錯我說的就是本安親班日前才發生的事。

但每個挫折，把時間線往後推移幾年，再回頭看同樣的事件，卻變成一件小事。「啊！這麼一點小事，以前的我怎麼覺得那麼難？」回顧起來，我們自己會這樣說，但別人可不能代替我們這樣說。

所以本安親班主任陪著學童把數學作業打掉重練，那是一份看算式，試著自己出題的作業。我們一起狠心地擦掉已經花了很多時間寫好的，再想出更好的。原本無奈哀怨的氣氛，隨著重新寫得更好、更有創意，而歡樂起來。雖然多花了一些時間，終究還是完工了，我們開心地擊掌。

高興歸高興，但事情還沒完，我帶著兒子一起回顧這整件事。從事發原因、情緒反應、接受現實、重振旗鼓、一步一步將事情轉好，甚至更好。又一次，母子倆把挫折變成有價值的經驗累積，期待下次遇到類似程度的挫折時，男孩也能正面而冷靜地面對，這跟老母的數學程度只有小學五年級無關。（沒有人問就不必自己說！）

成年的我們，依舊會遇到難以跨越的困難，帶領我們度過的是解決問題的經驗與信心。我們也能帶著孩子一起回顧已經解決過的難題，學習跳脫地看待眼前的困境。事件會過去，事件只是過程。

講完應對人生海海、有起有落的硬道理，除了理性看待不美好，也要感受得到美好。找到熱愛，能讓人珍惜生命，捨不得放棄。

一個我很佩服的婚紗設計師 Vera Wang 曾說過：「我的 DNA 是找到我熱愛的東西，努力去有所作爲。」她對自己的要求很苛刻，一九九〇年，四十歲的 Vera Wang 儘管當時對服裝設計一無所知，還是投入了夢想的婚紗事業。

活到八十歲的人生，僅僅只有兩萬多天。「孩子啊，你好不好奇，我們這一生能做出哪些事呢？」我會這樣問孩子。如何讓兒子看重自己，對自己的未來充滿想像？我認為，才華能力不一定能遺傳，但態度卻可以世襲。

親子間，我們透過養育日常的互動，去學習克服必然來到的困難，去對應孩子心中的熱愛，讓他的能力得以發揮，夢想得以飛翔。

為兒子特製的防災包

我的小家庭，無論是口袋深度或是社會資源都不足以讓孩子一生無虞，了解那種或多或少會擔心孩子未來的父母心。因為擔心而產生焦慮，焦慮就會讓人無所適從。所以，我可能和許多家長一樣，致力於為孩子打造一個應付未來世界的防災救難包。

心是一切的初始，而人生是一連串的選擇。穩定軍心，開發孩子感受的能力，是將來方向選擇的基礎。最重要的是深刻而誠實地認識自己，無論是特質、能力、需求、情緒、資源……了解自身的運作模式，清楚自己的感受，解讀自己的狀態，才知道什麼時候需要充電、什麼時候最具創造力、什麼環境下的自己更聰明或更懶散……必須要先知道心去哪裡，才輪到執行力與行動力。

認識許多厲害的人或優秀的創作者，發現有個共通的特質，他們大多很了解自己，無論是優點或缺點。也許正是這樣，所以能在關鍵的選擇來臨時，綜合一切條件，做出正確的判斷。知道自己要去哪裡，很多時候才是成人世界裡，勝敗的分水嶺。如果一個人從小時候，方向一直是由父母來指揮，未來該由自己下決策時，就容易不知何去何從。

圖 /Sammy

防災包項目清單：

☐感受的能力 ☐靈活思考

☐了解自己 ☐耐挫折

☐知道要去哪裡 ☐信心

挫折了，好好照顧自己

有了感受的能力，了解自己，知道要去哪裡之後，接著我會希望孩子擁有強健的「耐挫肌」。當挫折來自心理上和環境帶來的際遇，日常裡可供練習的小事俯拾即是，來舉個生活中的微小例子。

週末下午三點，兒子會約教練在家附近的球場打籃球。這一天，可能是太早起床，他竟然在打籃球前突然睡著了！才睡二十多分鐘，老母眼看跟教練約定的時間就要到了，於是只好搖醒他。還沒睡飽被叫醒的孩子，痛苦萬分。我們開始換衣服、準備水壺和球袋、穿襪穿鞋，小孩睏得直落淚。其實孩子自己也是想去打球的，只是精神上的睏意也是真實的，我抱抱他，孩子卻愈是安撫愈是委屈，加上時間不允許他慢慢平復心情，怎麼辦？

走出家門，步行到球場的路上，我問他，如果幫他背球袋，他心情會不會好一點，他搖搖頭。我說：「那就沒錯了，其實現在外力都不能讓你好一點，你要靠自己囉！」

通常哭是因為什麼呢？身體不舒服、傷心或是感動，「你現在哭，是因為正熟睡被叫醒實在太辛苦了，所以，很快就會沒事囉～」他同意地點點頭，輕輕說了一句：「今天天氣很好！」好的開始，他試著在轉換了。

有些引導方法可能是，牽起孩子的手，蹲下與之平視，使用標準溫和而堅定的口吻說：「你現在一定很難過對不對？」「你一定也不想這樣對不對？」好像這樣就是同理孩子，哪知道孩子心裡說不出口的OS，可能是：「沒有，我不是難過，我快氣瘋了！」「不！我就是想要這樣！」每個出現在生活裡的微小皺褶，都要找方法來熨得服貼，這樣除了展現媽媽的教養才智外，孩子能學到什麼呢？

其實，一時的情緒，很快就能抒解。話語和引導都能產生力量，而陪伴與支持的力量可能不是速效，但只要記得經驗，孩子經過一次又一次地練習，就能逐漸懂得照顧自己。

事實上，才沒走幾步，他已經明顯地好多了。呼吸逐漸平穩，眼淚也收乾了。

「對了！你不是偷偷在哪個盆子裡種了多肉？在哪？現在長多大了？」

我指著路邊的盆栽問他。他對自己在巷弄中移植了哪些花草可是如數家珍。

「今天的風是涼的耶！你有發現嗎？」我攤開手，感受夏天午後難得的涼風，兒子也跟我一起。接近球場的幾個路口，我們牽著手跑起來幾次，他的腳步也變得輕快。

很快地到了球場，我先掩護他，不讓他還掛在臉頰上的淚痕鼻水被教練看到。小子愛面子，往老母的衣角一陣抹，淚水鼻水都移到媽媽的衣服上了。媽媽的衣服是有這種特殊功用無誤，請悉知。

故事的後來，想當然沒事了。兒子開心地打完球，一如既往地蹦跳回家，說自己今天又學到什麼新招。

不是壓抑，也並非刻意轉移目標。壓制真實的情緒，孩子無法長成他們本來的樣子。然而懂得照顧自己，安撫自己的心，擁有不讓自己跌入情緒漩渦裡的能力是很重要的。

我認為，腦有記憶，身體有記憶，情緒也有記憶，常常練習處理自己的狀態，無論是讓自己轉往理性，或是找到可以舒緩的撇步，這些做法是會養成習慣的。每一次挫折，都是練習的機會，利用每次失敗，塑造沒在怕的氛圍，成功走完從失落到重新站起來的流程，這時父母的做法，就發揮了關鍵性的作用。

讓孩子在成長過程中，一次又一次去體驗各種大小挫折，設定好的挫折、還在父母羽翼之下的挫折。就算只是生活裡發生的輕微瑣事，甚至稱不上挫折的挫折，我們都可以陪著孩子一點一滴地練習，使孩子成為一個了解自己，可以自我代謝、自我控制的成熟個體。

在意，所以回應

孩子耐挫折，也可以說擁有了基本的自信心與面對困難的勇氣。

如何讓孩子有信心？我有個長期且認為有效的做法——「當孩子的最佳聽眾」、「認真看待孩子的問題」、「專注與孩子對話」，看起來沒有直接的關聯，其實做為日常保養，能讓「信心」永保健康。

提一下小時候的我，也跟兒子一樣，是個想法一籮筐，每天都有好多事想分享的孩子。但是家庭裡的氣氛冷漠，經常有如烏雲籠罩。在一股腦兒的滿腔熱血被澆了冷水，和一次又一次被無視的空虛悲傷心情之下，最終孩子只有不再與父母溝通或分享了。

所以，從兒子還是小嬰兒時，我們就開始聊天。沒錯，跟小嬰兒聊天。他說著外星語，我先假裝自己聽得懂，裝著裝著，彷彿就聽得懂了。

「真的嗎！我也覺得一直躺在床上太無聊了。」

「咿咿啊啊。」

「想聽個音樂嗎？好喔～這個如何？」

「咿咿啊啊。」我們對答如流，演繹著一段溝通無礙的星際交流。

後來，他長大了一些，會說話了。隨時都有一大堆話題，要是一段時間沒他的聲音，通常是他已經睡著了。

兒子是一個感受和心聲需要被大量關注的孩子，每個冷知識、每個新點子、每件芝麻綠豆大的小事，都需要被好好在意。無形之間，也培養出他的表達能力，「會說話」成為他最常得到的評語之一。同時，因為被在意，覺得自己在媽媽眼中是個重要的人，說的話也是重要的事，也讓他成為有信心的孩子。

爸媽能養成「孩子來找，立刻有回應」的習慣是最好的。要是正在忙也要說：「等等喔，我十分鐘後就去看你的新發明，一定很讚。」然後讓自己真心去欣賞、投入在孩子熱衷的世界裡，認真了解、仔細聆聽並給予反應。鼓勵孩子說出或寫出心裡的話、計劃中的事、有趣的經歷。當兒子的最佳聽眾、忠實觀眾，他就會不負粉絲的期待，成為樂於分享、善於表達的孩子。

有了感受的能力，了解自己要去哪裡？做什麼？有信心也有基本的耐挫度之後，最後就是行動力了。

加油與煞車，再加一點同理

探索與好奇

孩子充滿好奇心的時候，在安全的前提之下，盡可能滿足他所有的「實驗」與「探索」，是兒子成為一個即知即行、求知慾旺盛孩子的主要因素。然而信手捻來都是傑作，是不可能一蹴而就的，必須忍得了初期的有點麻煩、有點意外、有點落漆，甚至有點災難。

其實，這很容易預期，只是爸媽要選擇忍或不忍而已。想想，一個小學三年級的男孩，放學回家直接進廚房，手一洗，圍裙一穿，翻出隔夜飯，取出庫存的肉，一陣備料後，開火；接著左手打蛋、右手翻鍋，在傍晚的廚房一陣忙碌後，小男孩端出一大盤香氣四溢的牛肉炒飯，飯還用另一個碗蓋出完美的半圓，插上幾朵燙花椰菜，「完美！」他滿意地說。如此這般的獨立、帥氣的背後，那可憐的、一片狼藉的廚房，它歷經過什麼呢？

再想想，一個小學二年級的男孩，看見姐姐上線上課的筆電太低了，於是二話不說，戴上護目鏡，穿上手套，緊接著，木板、木條、鋸子、釘子、鐵鎚齊飛，不一會兒，做出一座尺寸高度合適，實用穩固的純手工筆電架。

這超凡的執行力，背後卻也是超凡的磨練過程。磨練的是鋸痕累累的家具、地板，可知道它們又經歷過什麼？孩子剛開始不熟練，不時會受傷，而老母的心臟，它還健在嗎？

剛來到這個世界的孩子，若沒有開口閉口都是為什麼，才是奇怪的事。保有這份對事物的好奇心，看似不難，但還是有許多人很早就像隻胖老貓，對世界並非司空見慣，而是提不起興趣了。希望孩子至少不要在與我的相處期間，失去這項特質。

書寫當下的前幾天，兒子才問我一個老母至今居然從來沒有想過的問題。

他說，吹涼食物我們會「吹氣」，然後撅起嘴巴對著我吹氣。又說，覺得冷、手很冰的時候我們會「哈氣」，然後張大嘴巴對著我哈氣。接著他問，一樣是從嘴巴裡吐出來的氣，為什麼吹氣是涼的、哈氣是熱的？

老母的腦海中，冒出一串問號。

對厚！我怎麼從來沒想過這個問題？這輩子「吹吹哈哈」（？）少說有上萬次吧，我小時候都在想些什麼呢？究竟是腦袋不靈光，還是好奇心很早就暫停運作了呢？老母頓時陷入深長的自我懷疑……

有時行動，有時停

「只有行動才能決定價值。」德國社會學家馬克斯．韋伯（Max Weber）這樣說過。男孩的老母也認為，我們窮盡心思，讓孩子擁有了許多能力，要是沒有行動力，是最可惜的事。

而「煞車線」或說「內建煞車系統」是老母從大女兒身上看見的特質，經過一些時間的經歷與觀察後，認為很重要，而且是人人皆要有的配備，尤其希望能複製在兒子——一個有點好強、有點偶包的總裁男身上。

寫這些文字的時候，長女已是一枚十五歲的青少女。外表稱不上亮麗的她，不僅有著黝黑的膚色，單眼皮小眼睛，還把頭髮剪成很短的學生頭，平常穿著有一大半是去挖老母箱底年輕時的衣服……種種行為，實在與身邊眾多正值青春年華、把化妝穿短裙做為家常便飯的同學朋友們比起來，顯得不太「正確」。

「不會想打扮一下嗎？」一天，老母終於好奇問道。青少年的同儕影響不是很大嗎？

少女聳聳肩，一臉無所謂地說：「不需要，我覺得我現在這樣沒什麼不好，很適合我。」

她是個興趣在設計藝術，對於美的事物觀察敏銳的女孩，當然清楚之間的差異，卻不打算跟上，有意識地不一定要從眾。「原來我是個簡單的人啊！每天就想兩件事，前一天想明天可以畫什麼，然後吃飯前想著今天吃什麼，哈哈哈……」她曾經笑著這樣說。我認為少女真正想說的是：「我更在乎有沒有做到，自己真正在乎的事。」

她也許表現得像是一個不夠合群的人，但能確定的是，她絕對不是一個隨波逐流的人。許多人有群聚的習慣，沒有跟其他人在一起，就覺得落單。敢於落單、敢於不一樣，我認為這樣很好，想清楚就好。

有一天，母女閒聊，聊到基因遺傳，大約就是這個部位像老媽、那個部位像老爸的話題。後來說到膚色，我們想了許久，實在找不出整個家族裡，長女的膚色像誰。

她後來用了很多詞語描述自己的膚色，「黑裡透紅，帶著膚色的紅棕色」、「每年會去海島度假兩次，有遊艇的有錢人膚色」、「這輩子不用化妝，化了妝也不會比較好看的膚色」，最後，她還下了一個結論：「我希望我長大還能維持這種膚色！」

這一番言論，老母在一旁聽著想笑，也許這個膚色並不如長女想得那麼特別，特別的是她的想法。

也因為長女這種發乎自然的自主，凡事獨立思考、不跟風、不接收超出自己能力的期待、拒絕不該屬於自己的壓力，那些集體或大環境所訴說的好、美、優秀等，都要經過自我篩選才能進入意識。老母發現這樣的特質，雖然經常被忽略、被看成是固執、被以為不夠合群，卻是個非常棒的優點。

這時，把眼光看回兒子的衝勁，固然充滿了可能性，但是否就讓人有點擔心呢？

有了行動力，最好還要附加安全配備，而長女的內建煞車系統給了我靈感。雖然這項配備還沒有在兒子身上安裝完成，但老母我會持續努力。

像是在日常相處中，鼓勵提出問題，給一些挑戰，尋找解決的方案；當孩子表達出意見，講出厲害的言論時，不吝於讚賞，給予適當的自主權和決策權，讓他們在可控安全的範圍內，做出自己的決定，權衡利弊並承擔責任。這些是現在進行式，希望總裁男孩最終也能安裝上自己的煞車線。

一個人要怎麼去堅定自己的價值，如何擁有停下來的能力，思考和做出自己的決定，而不是被外界的影響和壓力所左右？不讓自己陷入無止境的追求，克制自己鑽牛角尖，在人生的旅程中，能適時地停下來想一想，是一種「有度」，除了向外的自主性，也能不被外界過度干擾。需要基本的抗壓性，懂得處理壓力和挫折，讓自己更專注在解決問題。

我想，這樣的獨立性每個人都有，是掌控自己生命的慾望，而當真正能自主時，才能自由地發揮創造。

打開同理天線

同理心的重要，似乎已經不需要再強調。如何培養同理心，隨手就能搜尋到眾多優點與做不完的方法。然而因為職業是創作童書繪本的關係，需要相當程度地運用「同理」、「體察」和「設身處地」這些面向，要能夠設想到小讀者的需求與想法，進而希望孩子能擁有這樣的思考習慣。

所以在家庭親子互動細節中，常常隱含了這項意圖。尤其兒子是比較直線條的生物，得更常提醒要打開同理的天線，學習與人相處、與自己相處，我甚至認為，這也是暖男養成的首部曲。

平凡無奇的一天放學後，兒子照慣例先玩耍才想到功課還沒寫，而且要到了非寫不可，否則來不及的時刻才情願動手。過程還算拚搏，不過，寫到最後，仍有一項功課不太清楚老師的指示，他便要求我傳訊息問老師，當時已經是晚間九點了。

我拒絕了，兒子非常生氣與不解。

「不知道作業，就問老師啊！」我知道他滿心的疑惑，完全不明白這樣有什麼問題。

周遭親友，對我家兒子的評價基本有「懂事，能溝通」。但初始版的總裁，絕對不是一個天使兒。嬰兒時期就有超高需求，是一顆超黏橡皮糖寶寶，對許多事情堅持，缺乏彈性，讓人備感壓力；有時候，甚至是個先故意惹二姐生氣，再裝乖的討厭鬼弟弟。

每當男孩遇到這類「卡住」的狀況，我會先完整地敘述出整個事件，再請兒子重新判斷一次。所以這時，說故事的能力就變得非常重要了，最好能說得引人入勝，彷彿身入其境。

「老師很早就去學校了，白天幾乎都做著學校的事，上課、出作業、改作業，還有很多其他的工作。學生也有一大堆狀況，情緒強烈的、適應不良的、學習落後的，這些你都有看到。老師認真地做完一天的工作，回到家，要照顧家庭、照顧自己的小孩，接著做媽咪平常也要做的事情。然後班上二十二個同學，如果有十個人都搞不清楚功課，請媽媽打電話給老師，算一通電話五分鐘好了，乘法你學過，這樣老師自己的時間就被占用了快一小時吧，要是老師的小孩跟你一樣愛抱抱，愛跟媽咪玩，正在跟媽咪講故事吧啦吧啦……」

通常不用等故事講完，兒子就已經能（ㄎㄨㄞˋ）理（ㄈㄢˊ）解（ㄙˇ）。

陪著孩子一起從不同的角度思考問題，激發他們的好奇心，讓他們能夠更好的尊重，並理解他人的想法和觀點。培養孩子的同理心和關懷之心，能夠讓他們更好地與他人溝通，增強他們的人際友誼和互助關係。我想慢慢地，一點一滴，把兒子帶得溫暖善良。

7

暖男養成，未來媳婦請笑納！

「我不是媽寶，
我是媽媽的寶。」

好老公訓練營

兵荒馬亂的冬日早晨，同桌吃早飯的小情人總不忘溫暖我冰冷的……腳趾頭。他見我來了，拍拍隔壁座位，待我坐好，便抬起一邊屁股，輕輕點頭，用眼神示意，是默契。

好老公是可以教出來的，只是，不是妳教，是他媽教（沒在罵人）。也就是說，老母是在為未來的媳婦教好她的老公。先不談許多原生家庭帶來的，花樣百出、層出不窮的價值觀或心理層面的問題，畢竟這不是一本講婚姻的書（XD）。那些體貼的心意、友善的生活習慣、理想的情緒管控，絕對不是結婚後就突然齊備的。

養出自己也欣賞的男生

如果正在看這本書的您，人妻兼人母，也許偶爾會跟姐妹淘抱怨：「別人的兒子真難教啊！」雖然夫妻相處是互相的，不是非要指責某一方，但這句話，還是有點道理的。一來，先生的確不是兒子；二來，大家都是成年人了，不要說「教」了，甚至容不得另一半叮嚀或提醒。

我們無法改變「別人的兒子」，但是不是可以在一開始，就避免兒子成為那樣的男性呢？或者正面地說，讓兒子成為更好的男性呢？將「幫別人養出一個好老公」做為出發點，畢竟「產品」是從「母公司」生產出來的，必須為產品的品質負責。所以，從當了人家的太太，到當了人家的媽媽，我了解到，男孩養好要趁早。

話說回來，怎樣才能稱之為好呢？媽媽得在早期就有意識地把這個信念擺在心底。「基礎版」先以養出一個「健康快樂的男孩」為初階目標，「升級版」則有才華、有幽默、有能力、有品味、能抗壓、善於學習……簡單來說終極成果是連自己也夢寐以求的男性，往這個方向去想就可以了。這樣一來，往後在做法上就不容易有所動搖。

成績分數就是最簡單的例子，如果只是要媽媽別太在意孩子的分數，這似乎很難辦到。難道孩子在學校的學習都不重要了嗎？一整天在學校，要求成績很過分嗎？學生把試考好難道不是負責任的表現嗎？

但如果把方向轉換成養出一個會被欣賞的好男生，狀況就會明朗許多。連自己也夢寐以求的完美男性，在小學三年級下學期的期末考，數學分數是八十九分或九十二分，甚至是六十五分，很重要嗎？要是他一向好奇心旺盛，學習力、執行力、解決事情（或人）的能力都很好，那麼，雖然平常沒見他複習課業，作業總是交差了事，考試前也不見他抱佛腳，最後出來的分數差強人意，老母我是完全可以接受的。

兒子經常和我分享學校的事，常聽到一個同學的名字，每次提到他，兒子總會以「那個很易怒的同學……」為開頭，彷彿「易怒」已經成為那位同學的代號。同學的家境富有，成績也很好，只要拿到一百分或第一名，家裡就重賞一萬元獎金。但這名同學的脾氣卻異常暴躁，一生氣會大吼大叫，甚至推翻桌椅。

有一次我問兒子，這個同學在班上有朋友嗎？兒子笑著說：「有哇！他唯一的朋友就是我啊！」這下我好奇了，會突然生氣的人，該怎麼相處呢？

於是我又追問：「要是他生氣了，你怎麼辦？」

兒子一臉這什麼簡單的問題，聳聳肩說：「只要看見他快要生氣，我就馬上安撫他，說你最棒、你說得都對，大部分時候他的心情就會慢慢變好。」

兒子和同學的應對方法，絕對不是坊間「正確」的人際互動方式，卻讓老母爆笑不已。也許呈現出來的教養風格，會被誤以為是放養、隨性或不夠在乎，但其實觀察的重點是孩子展現出來的「混世能力」，連這麼愛生氣的人也能當朋友，實在太讓人安心了啊！

話說回來，雖然同學只是個小學生，那性格上的暴烈從何而來，我們不得而知，但可以預期的是，如果說這樣延續到長大，就算家庭環境再優渥、成績學歷再亮眼，也是個相處起來令人心累的人吧。

我認為，同學該學習的第一要務，絕非再多考幾個一百分，或多拿幾次第一名，而是學好情緒管理。

番外小故事

兒子說，那個有錢，功課好，脾氣卻不好的同學，經常會跟他形容家裡富裕的程度，在精華地段的房子超過兩百坪、媽媽每一年都會買一顆幾克拉的鑽石……

聽到這些，我有點好奇地問兒子：

「你會覺得羨慕嗎？」

「不會呀！我只覺得他們家很特別……」兒子說：「而且，他每天都會帶價值超過五百元的水果盒來學校，吃不完回家會被媽媽罵，所以我都會幫他吃喔！超好吃！」

聽完覺得兒子待人處事真的很有智慧。（大誤）

圖 /Sammy

成為有肩膀的男人

姐弟三人在一起，老母過去交代事情時，如果下的指令是「把家裡打掃乾淨」，這時，大姐會出面分配工作，安排每個人擅長的事，而且重述媽媽所說的事項，因為弟弟通常沒在聽，靈魂可能還在跟外星人一起做實驗。若分配有爭議，大姐會直接說：「來猜拳！剪刀、石頭、布！」而不會花時間跟弟弟多做解釋。因為她知道，弟弟只要覺得做法上公平就可以了。我想，有弟弟的姐姐，長大應該不會是個囉唆的媽媽吧？

老母與兒子對話也類似，我是一個愛說故事，喜歡好好鋪陳的人，但是為了避免耐性很有限的兒子聽得生厭，所以經常以結論做為開頭，會先講結尾，如果兒子有興趣知道更多，再做補充。

這個方式跟「對兒子說話要說清楚」並沒有違背，而是可以利用順序和節奏，讓兒子更願意聆聽溝通，也能讓老母擺脫嘮嘮叨叨的形象，把對話量留給兒子跟小情人的甜言蜜語就可以了。

老母的形象，對兒子來說可以發揮很好的作用。我們要有自信，雖然是一個有點依賴的，會拜託他幫忙，不那麼厲害且不完美的媽媽，兒子還是很愛妳的。男孩，有種「想當一個有肩膀的男人」的天性。適度地給予男孩責任，他是很開心的。

目前的平常生活中，睡前我的床頭一定備有一杯溫開水，手勁奇弱無比的老母經常有扭不開的東西，兒子聽到呼喊總會飛奔而至英雄救母。熱愛吸收新知的他，只要知道了什麼有趣的知識，也會興沖沖地報給老母知。這是我想養出來的兒子，善良、體貼、有好奇心、有行動力，具備各種會被欣賞的好男生的特質，他甚至會做菜，也會鋸木頭呢。

有人問過我，養出一個很棒的兒子，有朝一日「拱手讓人」了，會不會心理不平衡？

兒子，是我精心撫養的作品，將來有人喜歡，是必然的結果（撥髮～），覺得人家眼光好都來不及了，哪裡需要不開心呢？如果有一天，兒子有了另一半，能因此相處融洽，不要常跑回家吵吵鬧鬧，要我評評理，也稱得上是一種超前部署吧？

嬰兒時期的兒子、兩歲的兒子、五歲的兒子、此時此刻的兒子，我都愛不釋手。也非常期待與青少年時期的兒子、工作時的兒子、結婚的兒子、成為爸爸的兒子相處。這才是媽媽與兒子的愛。

「未來的媳婦請笑納！婆婆我可是很盡力了啊～」

單飛不解散

媽媽不是萬能，也不需要追求萬能，但如果真的有這個志向，那是個人的自由。許多人生方向、夢想追求，甚至人情事理，遠比老母在育兒過程中的完美進化來得重要。但即便如此，兒子對老母而言，仍是個極其特殊的存在。

「妳會不愛我嗎？」一天睡前的撒嬌時光，兒子突然問到。

我認真的想了一下，「我……我做不到啊！」那是就算再努力，也不可能不愛的愛啊！

把養育的主體還給孩子

兒子吃飯吃到一半突然大挖鼻孔，你非但不會覺得噁心，只擔心他有沒有控制好力道。半夜蓋被子時偷親兒子，他翻個身大聲打呼，你不但不會覺得討厭，只希望他呼吸通暢，並祝他有個好夢。兒子的耍寶當幽默，兒子的活跳瘋狂當奔放不拘小節，兒子的黏膩橡皮糖當珍惜母子情分……每件其他人看著要翻白眼的事，在老母眼裡都覺得可愛得不行。

正是如此的愛，這般的重視，所以才有意識地把養育這件事的主體還給孩子。父母自己是怎樣的人，孩子是怎樣的人。在深度認識自己、認識孩子後，交互作用成一個良好的互動關係。

沉浸式是個流行詞，而教養本身就已經沉浸得滿到天靈蓋了，我時常覺得真的可以不用再更多。只是一直把親子關係放在心上，然後想藉由文字陪大家談一談。

書，做不到傾聽。但如果這本書，能讓你心底產生聲音，是關於自己的聲音，那就太好了。感受到自己與孩子之間的故事，而不是去接收作者要「教」給你什麼。因為那是你的兒子，這是為你兒子寫的書，希望你從中有所獲得。

教養，有點難；但愛，超簡單

一天，抱抱狂魔兒子問我：「什麼是『媽寶』？」

啊喔，這一天終於還是來了嗎？他發現自己就是媽寶了嗎？（不是）

近年來，討論媽寶男生的話題很多，而周遭也不乏青少年不理媽媽的例子。我認為，親子關係的貼近，能夠讓孩子安心地表達情感，不等於養出媽寶，不等於孩子不獨立。擔負生養的職責以外，父母在親子之間的角色不是來展現自己的。在人生舞台上，父母是主持人，孩子則是重要嘉賓，我們的職責在引導孩子展現真實的自己。

其實，無論是用情緒，或用媽媽自私的想望，來要求、過度干預、控制孩子，才是讓孩子在親情中產生痛苦的原因。

根據這十多年來的經驗，想要教養出自信、不貶低自己、在人群中自在的孩子並不難。讓孩子了解自己能夠獨立解決問題，知道自己的努力和成就是被認可和重視的。給男孩足夠的空間和自由，當他發展出自己的獨立性和自主學習能力，就給予正面的回饋和認可。

未來，老母與總裁（當然也有兩姐妹），還準備一起做更多事，一起旅行、一起學習、一起創作、一起玩耍，一起做好放手與獨立的準備。我將給他更多的空間、更大的自由，最後的疼愛是手放開～（深情吟唱）

謝謝兒子，來到我生命中，讓我體驗到養兒子的喜悅和成就感。

教養，可能有點難；但愛，超簡單。

「我不是媽寶，我是媽媽的寶。」兒子最後這樣說。

任性的免責聲明

回到最前面說到的風險。

看著眼前的兒子，我想，他一定能成為他未來人生中的總裁。養育兒子至今的經驗過程，也許可以算是達成了階段性的所謂成功。但實際上並非教養專家的老母我，無法保證「療效」，僅能用實測與自我要求，去檢視內容是否值得分享。

本職是童書創作，生存所需與工作重心都在此。寫出這些養育兒子的內容，也許是很多人難以置信的「純分享」吧。但要是分享的事，能觸動你心裡的一根弦，「啊！好像就是這樣。」一流過暖流，透過一束光的同時，歡迎你試試看，請務必一樣把最大的專注放在孩子本身，然後觀察、欣賞，同時相信凡事總有例外。如果能感受到一點輕鬆，一點養育男孩的幸福感，那就是我拿出一些和孩子開心抱抱的時光，勤懇書寫，最感到值得的事了。

祝大家養兒愉快！

國家圖書館出版品預行編目 (CIP) 資料
無意良母貳 : 我很會養別人家老公 / 賴曉妍著 . -- 第一版 . -- 臺北市 :
親子天下股份有限公司 , 2023.05
192 面 ; 17X20 公分 . -- (家庭與生活 ; 89)
ISBN 978-626-305-497-4(平裝)

1.CST: 親職教育 2.CST: 家庭教育 3.CST: 育兒

528.2 112007329

家庭與生活 089

無意良母貳

我很會養別人家老公

作者｜賴曉妍
繪者｜賴咸穎、賴俞蜜
責任編輯｜謝采芳、葛晶瑩（特約）
編輯協力｜王雅薇
封面設計｜ Ancy Pi
版型設計、排版｜賴姵伶
行銷企劃｜石筱珮

天下雜誌群創辦人｜殷允芃
董事長兼執行長｜何琦瑜
媒體產品事業群
總經理｜游玉雪
副總經理｜林彥傑
總監｜李佩芬
副總監｜陳珮雯
版權主任｜何晨瑋、黃微真

出版者｜親子天下股份有限公司
地址｜台北市 104 建國北路一段 96 號 4 樓
電話｜ (02)2509-2800　傳真｜ (02)2509-2462
網址｜ www.parenting.com.tw
讀者服務專線｜ (02)2662-0332　週一～週五 09:00~17:30
讀者服務傳真｜ (02)2662-6048
客服信箱｜ parenting@cw.com.tw

法律顧問｜台英國際商務法律事務所 ・ 羅明通律師
製版印刷｜中原造像股份有限公司
總經銷｜大和圖書有限公司　電話｜ (02)8990-2588

出版日期｜ 2023 年 6 月第一版第一次印行
定價｜ 400 元
書號｜ BKEEF089P
ISBN ｜ 978-626-305-497-4（平裝）

訂購服務
親子天下 Shopping ｜ shopping.parenting.com.tw
海外・大量訂購｜ parenting@service.cw.com.tw
書香花園｜台北市建國北路二段 6 巷 11 號　電話｜ (02)2506-1635
劃撥帳號｜ 50331356 親子天下股份有限公司